Cuéntame
una historia
Tomo Cuatro

Cuéntame una historia

Tomo Cuatro / Por Arturo S. Maxwell

PUBLICACIONES INTERAMERICANAS
PACIFIC PRESS® PUBLISHING ASSOCIATION
Nampa, Idaho
Oshawa, Ontario, Canadá

EDITADO E IMPRESO POR
Publicaciones Interamericanas, división hispana de la Pacific
Press® Publishing Association, P. O. Box 5353, Nampa, ID
83653, EE. UU. de N. A.

ISBN 0-8163-9991-3   OFFSET IN U.S.A.

Contenido

Indice Temático

Artistas que participaron en la ilustración de este tomo: Harry Anderson, Harry Baerg, Robert Berran, Jennie Brownscome, Fred Collins, Kreigh Collins, William Dolwick, John Gourley, Russ Harlan, William Heaslip, William Hutchinson, Manning de V. Lee, Donald Muth, Vernon Nye, B. Plockhorst, Peter Rennings, y Jack White. Portada de John Steel.

1

Las Manos de mi Madre

YO NO SE cuándo sucedió. Quizá hace cincuenta años, o tal vez cien. Pero eso no importa. La historia era ya antigua cuando yo era muchacho, y de esto ya hace bastante tiempo. Te la voy a contar porque sé que te va gustar.

Cierta vez, una joven madre dejó a su pequeña bebecita durmiendo en su cuna, y se fue a visitar a su vecina. Muchas veces antes había dejado a su bebé, por sólo unos pocos minutos y, hasta entonces, nunca había tenido ningún problema.

Al llegar a la casa de la vecina estuvieron hablando de esto y de aquello, pero de repente la conversación se interrumpió por un estridente sonido que siempre les hacía poner "la piel de gallina". Era la sirena de los bomberos.

—No se preocupe —le dijo la vecina—. Seguramente se habrá incendiado un campo. Muchos campos arden en esta época del año.

Pero la sirena sonó otra vez, y otra.

—Debe ser algo serio —comentó la joven mamá.

—Oh, no se preocupe —le dijo la vecina—. Estoy segura de que no es cerca de aquí.

—¡Pero escuche! —dijo la madre—. El camión de los bomberos está viniendo hacia aquí. Y ¡mire! ¡La gente está

9

Si tú le preguntaras al Salvador: "¿Qué te sucedió en la mano?", ¡qué maravillosa historia te contaría Jesús!

H. ANDERSON © R.& H.

Esta ilustración se puede adquirir separada, para enmarcar. Solicítela a nuestro representante local.

corriendo! ¡Y va en dirección a mi casa!

Y sin decir más se lanzó hacia la calle y corrió con la multitud que se estaba agolpando.

Entonces lo vio todo. ¡Lo que estaba ardiendo era su propia casa! Las llamas y el humo ya alcanzaban el techo.

—¡Mi hijita! —gritó con desesperación— ¡Mi hijita!

La multitud se había agolpado alrededor de la casa, pero ella, como enloquecida, se abrió paso a través de todos.

—¡Mi hijita! ¡Mi hijita! ¡Mi pequeña Margarita!

Un bombero logró asirla del brazo.

—¡Usted no puede pasar! —gritó—. Morirá quemada.

—¡Déjeme ir! ¡Déjeme ir! —a su vez gritó la pobre madre, librándose del bombero y lanzándose adentro de la casa envuelta en llamas.

Ella sabía exactamente dónde ir. Y corriendo a través del humo y las llamas, tomó a su preciosa hijita entre los brazos y se dio vuelta para regresar. Pero debido al espeso humo, le faltó el aire y cayó desvanecida. Se hubiera quemado viva juntamente con su bebé si un bombero no la hubiera rescatado y sacado afuera.

¡Qué alegría la de todos cuando aparecieron los tres! Pero, he aquí que, a pesar de que el bebé había sido salvado sin daños, la pobre madre había recibido grandes quemaduras. Unos amigos la pusieron en una ambulancia y la llevaron al hospital. Una vez allí, se dieron cuenta de que sus manos, sus valerosas y queridas manos que habían levantado al bebé de

la cuna envuelta en llamas, estaban terriblemente quemadas.
Toda su belleza, de la que ella había estado tan orgullosa, se
había ido. A pesar de que los médicos hicieron todo lo posible
para salvar esas manos, quedaron enjutas y marchitas por el
resto de su vida.

Varios meses después la valerosa madre fue dada de alta
del hospital, y ella y su bebé pudieron regresar a su hogar.

Las semanas se convirtieron en meses, y los meses en
años. Un día Margarita, que ahora tenía ocho años de edad, vio
a su mamá lavando los platos en la cocina.

De pronto se despertó su curiosidad por algo que siempre
había visto pero que no le había llamado la atención.

—Mamá —dijo—, ¡qué manos feas tienes!

—Sí, querida —repuso la mamá con calma, a pesar de que
había un gran dolor detrás de sus palabras. Son feas, ¿verdad?

—¿Pero por qué tienes unas manos tan feas cuando la otra
gente tiene manos bonitas? —insistió Margarita, sin saber que
cada una de sus palabras era como una espada que se clavaba
en el corazón de su madre.

Las lágrimas inundaron los ojos de la mamá.

—¿Qué pasa? ¿Qué hice de malo? —preguntó Margarita.

Entonces la mamá tomó de la mano a Margarita y, diri-
giéndose a la sala, donde se sentaron cómodamente le dijo:

—Tengo que decirte algo, querida.

Y entonces le contó su historia, una historia que Margarita
no conocía.

—Mis manos eran hermosas hasta entonces... —se interrumpió la mamá—; pero lo importante es que el bebé se haya salvado. Ese bebé... ¡eras tú!

Margarita tomó las manos retorcidas de su mamá entre las suyas, mientras las lágrimas se deslizaban por sus mejillas.

—Querida mamá —dijo conmovida—, las tuyas son las manos más hermosas del mundo.

Queridos niños, hay otras manos que fueron clavadas por cada uno de nosotros: son las manos de Jesús, las manos de nuestro Amigo y Salvador.

Ustedes saben qué le sucedió a Jesús: los hombres malos atravesaron sus manos con grandes clavos y lo colgaron en una cruz, en que él murió de atroces sufrimientos.

Entonces lo sepultaron en una tumba pero resucitó, es decir, volvió a vivir, y ascendió al cielo, donde ahora está esperando el glorioso día cuando venga a buscarnos.

Aún lleva en sus manos las marcas de los clavos. Y cuando él vuelva, las cicatrices todavía estarán allí. Y nosotros le conoceremos a él "por la marca de los clavos en sus manos".

Y cuando le preguntemos a Jesús, qué pasó con sus manos, nos contará, una y otra vez la maravillosa historia de la salvación del hombre. Entonces, con la pequeña Margarita, exclamaremos: "¡Son las manos más hermosas del mundo!"

El Consuelo de Pepito

A PEPITO le había tocado la mala suerte —a lo menos así él pensaba— de ser el menor en la familia de cinco hijos. Tenía una hermana mayor, y tres hermanos mayores, y él, bueno... él era el menor de todos.

Y a Pepito no le gustaba ser el menor. ¿Por qué? Pues, por varias razones; pero principalmente porque su hermana y sus hermanos mayores siempre estaban tan ocupados que no tenían tiempo para jugar con él. Durante el día estaban en la escuela, y cuando volvían por la tarde a la casa, tenían deberes para hacer, o se iban a jugar con sus amigos de su misma edad.

Así que el pobre Pepito en ocasiones se sentía muy solitario. ¡Cómo quería tener una hermanita, alguien que le perteneciera y con quien pudiera jugar, y que se interesara en las mismas cosas que él!

—Papá —decía a veces—, ¿no podrías conseguirme una hermanita en alguna parte? Yo quiero tener una hermanita.

Y el papá le contestaba:

—Ojalá pudiera, querido; pero es tan difícil conseguirla. De todas maneras, lo voy a tener en cuenta.

Y entonces Pepito decía:

—Pero papá, cuando te vayas de viaje, ¿no podrías elegir

13

14 una y traerla a casa? Debe haber muchas niñitas que quieran vivir con nosotros.

—No es tan fácil como eso —le replicaba el papá—, pero lo voy a tener en cuenta, y tal vez, un día... bueno, uno nunca sabe cuándo puede ser.

Así que el papá siguió con sus viajes y les contó a sus amigos acerca de su hijito que tanto quería tener una hermanita, que hasta se la pedía a Dios en sus oraciones.

Oh, sí, olvidaba decirles eso, que Pepito oraba todas las noches por una hermanita.

Y algunos de los amigos de su papá se sonreían y pensaban que era muy divertido. Pero no le resultaba divertido a Pepito, ni encontraba nada de cómico en ello.

Entonces, un día, sucedió algo.

El papá abrió una carta que decía:

"Apreciado señor:

"He sabido que usted está buscando una niñita. Y sucede que yo conozco a una niñita que necesita un buen hogar. Tiene dos años y medio de edad y es muy amorosa. Quizás a usted le gustaría venir y verla".

El papá se sintió un poco atemorizado y deseó no haberle contado a tanta gente acerca del pobre muchachito solitario que anhelaba tener una hermanita. Sabía que estaba en una encrucijada, y que tenía que decidir de una manera u otra. Y comenzó a calcular lo que le costaría ir y ver a la niña, lo que le costaría traerla al hogar, y lo que le costaría alimentarla y vestirla durante años y años y años.

Pepito, sin embargo, no se preocupaba. Pensaba que esto era maravilloso, y estaba seguro de que finalmente su oración sería contestada.

—Bueno, no te entusiasmes demasiado —dijo el papá—, porque puede ser que ella no sea...

—Pero la carta dice que es una niñita "amorosa" —replicó Pepito.

—Bueno —previno el papá—, aunque sepamos que es buena, puede suceder algo que no nos permita traerla. Piensa solamente en lo que eso nos costaría.

—Oh, no nos costará mucho —objetó Pepito—. Es tan pequeña. Y estoy seguro de que es buena. Sí, yo sé que es buena. Y, papito, ¿vas a ir a verla?

—Bueno, no sé —vaciló el papá. Es un gran riesgo. ¿Sabes? Yo creo...

—Pero papá, no lo pienses más, sólo anda —le dijo Pepito.

Y el papá fue. En realidad no podía evitarlo. Así que fue de viaje, y al llegar al lugar de destino, allí estaba ella, una cosa pequeñita de ojos azules y cabello rubio y ensortijado; tan delgadita, tan débil, tan necesitada de un hogar.

¿Y qué podría hacer él? La observó cuidadosamente y pensó en Pepito. Y entonces, olvidándose de los gastos, y del costo total, la tomó en sus brazos, y la puso en su bolsillo... —bueno, no tanto, pero casi—, y se la llevó consigo, en su largo viaje de regreso.

Cuando llegó a su casa, allí estaba Pepito, esperándolo

ansiosamente a la puerta, emocionado hasta lo más íntimo de su pequeño ser.

Ninguna niñita en este mundo podría haber sido tan bien recibida. Pepito le limpiaba las manos, le lavaba la cara y los pies cuando ella se ensuciaba, como hacen los chicos tan a menudo, la ponía a dormir en la noche, la vestía por la mañana, le ataba el babero a la hora de las comidas, y la cuidaba con la devoción de un hermano mayor.

¡Y qué lindo jugaban ambos! Pepito encontró su viejo triciclo y lo arregló para poder pasear en él a su hermanita. Naturalmente, como él era demasiado grande para ese triciclo, usaba su bicicleta. Y de esta manera iban y venían alrededor de la casa, divirtiéndose a más no poder.

Y cuando se cansaba de andar en bicicleta, Pepito paseaba a su hermanita en un cochecito y la llevaba alrededor de la casa, corriendo tan rápido como podía, pero cuidando a la vez de que ella no se cayera.

Se divertían tanto, que la gente que al pasar los veía, hubiera pensado que se conocían desde siempre.

Seis meses más tarde, el papá y Pepito se hallaban un día juntos, fuera de la casa.

—Ahora, Pepito, ¿no crees que es tiempo de llevar de vuelta a la pequeña? —le preguntó el papá.

—¡Pero no, papá! —exclamó Pepito.

—¿Y tú realmente quieres que ella se quede con nosotros?

—Claro, que se quede para siempre —dijo Pepito.

—¿Pero por qué? —volvió a preguntar el papá.

—Porque ella es mi consuelo y mi alegría —respondió Pepito.

Y realmente lo era; porque nunca más Pepito dijo que se sentía solitario.

Cuando se cansaba de andar en bicicleta, Pepito paseaba a su hermanita en un coche.

R. HARLAN

3

Encerrado
en un Armario

MIENTRAS todavía recordamos la historia de Pepito y su hermanita, debo contarles otra historia acerca de ellos, la que, de no haber sido por la niña, podría haber sido una historia triste.

Ustedes saben que un día Pepito y su hermanita estaban jugando a la escondida juntos, divirtiéndose en grande. Primero se escondía Pepito, y decía: "¡Listo!", cuando estaba seguro de que estaba bien escondido. Entonces su hermanita empezaba a buscarlo alrededor de la casa, en el patio, en el jardín, mirando arriba y abajo, por todas partes.

Para decirles la verdad, ella no era muy buena para encontrar nada, ni a nadie, pero tratándose de Pepito, buscaba y buscaba hasta que lo encontraba, y entonces dejaba escapar un grito lleno de alegría.

Después le tocaba a ella esconderse. Por lo menos trataba de hacerlo, porque le era muy difícil ocultarse en algún lugar en que Pepito no la encontrara; y pronto se oía otro grito de entusiasmo cuando la descubría.

Ahora, resulta que habían construido un nuevo armario en la pieza donde la mamá lavaba, la cual se hallaba a cierta distancia de la casa, cerca del garaje. Tan pronto como el carpintero la terminó, Pepito se dijo a sí mismo: "Qué buen

18

F. COLLINS

lugar para esconderse". Y decidió que, en la primera oportunidad que tuviera, se escondería dentro del armario. Allí su hermanita jamás lo podría encontrar.

La oportunidad llegó pronto. Abrió la puerta del armario y, agachándose, pudo meterse entre los dos estantes más bajos del mismo. Apenas pudo caber.

Seguro de que se había escondido mejor que nunca, Pepito gritó: "¡Listo!"

De repente una corriente de aire sopló a través de la ventana del lavadero. ¡Pam!

La puerta del armario se cerró violentamente y la cerradura hizo un ruido. Pepito quedó atrapado dentro, en una oscuridad absoluta, metido a duras penas entre dos estantes.

Aterrorizado, llamó y llamó, pero nadie contestó. La mamá había ido de compras a la ciudad, el papá se hallaba ocupado dentro de la casa, y la hermanita lo estaba buscando por todas partes, excepto en el lavadero.

Mientras tanto, el escaso espacio dentro del armario se volvía cada vez más caluroso, porque no había más que una pequeña ranura por la cual entraba aire fresco. El pobre Pepito comenzó a gritar tan fuerte como pudo. En su desesperación, con angustia, oró: "Jesús, envía a alguien para que me saque de aquí".

Nadie vino.

Y llamó y llamó.

Pero no hubo respuesta.

El escondite se ponía más y más caluroso. Pepito se sentía cada vez más acalambrado. No podía levantar la cabeza, ni estirar los brazos o las piernas. Hasta tenía doblados los dedos de los pies, y no los podía enderezar.

Pasaron diez minutos; veinte minutos; treinta minutos. Y cada minuto parecía un año.

Por momentos, oía la voz de la hermanita que llamaba: "¡Pepito, Pepito!, ¿dónde estás?" Y él, aunque la oía, no podía decirle nada, porque las paredes del armario no dejaban que su voz se oyese afuera.

Entonces, de repente, oyó un sonido que le trajo nueva esperanza a su pobre corazón. ¡Eran pisadas! ¡Las pisadas de un pie pequeño! A Pepito nunca le pareció oír un sonido tan hermoso en toda su vida; eran como las pisadas de un ángel.

—¡Aquí estoy! —gritó. En ese momento oyó que el ruido de las pisadas estaban dentro del lavadero.

—¿Dónde estás? —le preguntó la hermanita mirando alrededor y preguntándose cómo podía oír una voz sin ver a nadie.

—En el nuevo armario —gritó Pepito—. Ven y ábrelo, rápido, rápido.

—Yo no puedo —le dijo la hermanita—. La manija está muy alta.

—Pero prueba, prueba —gritó Pepito—. Ponte en punta de pies y prueba otra vez.

La pequeña hermanita, atemorizada por la urgencia de la voz de Pepito, trató de hacer lo más que pudo. Se puso en punta de pies, y trató de alcanzar la manija del armario. La cerradura hizo "click" y entonces la niña lanzó un grito de alegría al ver a Pepito acurrucado entre los dos estantes.

¿Puedes tú adivinar lo que sucedió después? Bueno, Pepito le agradeció una y otra vez a su hermanita. En su vida jamás olvidó que ella vino a rescatarlo y a salvarlo de la terrible aflicción de estar atrapado en ese armario.

Y entonces corrieron a contarle al papá lo que había sucedido. El opinó que no era ninguna idea feliz esconderse en los armarios o en otros lugares por el estilo. Muchos niños que se habían escondido en lugares muy cerrados, especialmente en una nevera o refrigerador, no fueron hallados hasta que era demasiado tarde.

Y, después de amonestarlos a que jamás se escondieran en lugares así, los besó a ambos y les dijo que podían seguir jugando.

4

El Dólar
de José

ESTA es otra historia verdadera que, estoy seguro, te va a gustar.

José era un niño de ocho años. Sus padres eran pobres y nunca podían darle mucho dinero. Solamente una moneda de cinco centavos, o una de diez, y eso de vez en cuando.

Un día alguien le dio un dólar a José. ¡Un dólar de plata! Ni un millonario jamás se sintió tan rico.

José estaba tan contento con su dólar, que lo guardó en el bolsillo para poder verlo a cada rato. ¡Qué brillante! ¡Y cuántas cosas podría comprar!

Horas después, cuando José metió la mano en el bolsillo para darle otra miradita, ¡el dólar no estaba allí! Entonces dio vuelta el bolsillo hacia afuera, pero en vano. Buscó en los demás bolsillos, pero no apareció ninguna moneda. Frenéticamente empezó a buscar por cada rincón de la casa, por el patio y por todas partes donde había estado. Pero ni rastros del dólar. Pensar que su precioso dólar se había desvanecido tan pronto. Era terrible. Entonces oró: "Señor, ayúdame a encontrar mi dólar perdido". Pero el dólar no aparecía. Y el corazón de José se quebrantó.

Vino la noche, y José, muy triste y descorazonado, se fue a la cama. Pero una vez acostado, se acordó de que no había

hecho la oración de la noche.

"Bueno —pensó—, he perdido mi dólar, ¿dé que vale que ore más? Me voy a dormir".

Pero no pudo dormirse en seguida. Después de un largo rato, cuando por fin estaba por dormirse, una vocecita, allá adentro, parecía que le decía:

—José, tú no has orado esta noche.

Se dio vuelta, y trató de dormirse, pero otra vez le pareció oír la misma voz.

José dio vueltas y vueltas en la cama, tratando de dormirse, pero seguía oyendo la vocecita que le decía:

—José, tú no has orado esta noche.

Finalmente, se sentó en la cama.

"Tal vez sea mejor que lo haga, después de todo", se dijo a sí mismo.

Así que bajó de su cama y se arrodilló en la oscuridad.

—¿Qué es eso? —exclamó cuando su rodilla tocó algo frío y duro. Al mirar vio que era ¡nada menos que su dólar!

"Querido Señor —oró entonces José—, perdóname por no haber querido orar. Y gracias por mi dólar".

5

Cómo se Mojó Juanito

LA SEÑORITA Méndez estaba sentada junto a su escritorio, pasando la lista de asistencia.

—Parece que todos están a tiempo hoy —dijo—. Es decir, todos excepto Juanito. ¿Ha visto alguien a Juanito hoy?

Nadie habló.

—¿Sabe alguien si Juanito está enfermo? —volvió a preguntar la señorita Méndez.

Entonces se levantó una mano.

—No creo que esté enfermo, señorita, porque yo lo vi ayer pescando en el arroyo.

—Gracias —dijo la señorita Méndez, cerrando el libro de asistencia—. Y ahora, saldré por un breve momento. Por favor, todos permanezcan quietos y sentados hasta que yo vuelva.

Apenas hubo ella atravesado el corredor, cuando se abrió la puerta del aula y entró Juanito.

—¡Juanito! —gritó uno de los niños—. ¿Qué has estado haciendo?

—¡Juanito! —gritó otro—. ¿En qué líos te has metido?

Y ellos tenían razón de preguntar así, porque nunca había venido nadie a la escuela hecho una sopa, como ahora Juanito, con el pelo todo enmarañado. Era evidente que había estado nadando: la ropa le chorreaba agua, y los zapatos le hacían

25

Juanito saltó desde el puente y salvó la vida de una niñita que se había caído en el río.

K. COLLINS

ruido como si estuviera chapaleando.

—¡Ja, ja, ja! —se rieron todos—. ¡Qué espectáculo! ¡Qué manera de venir a la escuela!

De repente se oyó el picaporte de la puerta. Instantáneamente reinó un silencio absoluto en la clase. Juanito sin más se dirigió a su asiento y se sentó.

Al entrar, la maestra miró alrededor.

—Así que finalmente estás aquí, Juanito —dijo—. ¿Tienes alguna explicación por tu tardanza?

Juanito la miró cohibido.

—¿Qué pasa con tu pelo? —preguntó la señorita Méndez.

—Nada —dijo Juanito, tratando inútilmente de peinarse con los dedos.

—¡Ponte de pie!

Juanito se levantó de su asiento. Entonces ella notó que su camisa y sus pantalones estaban empapados. En ese momento el niño hubiera deseado desaparecer.

Se levantó una mano.

—Por favor, señorita Méndez, mire. Allí, debajo del asiento de Juanito, hay un charco de agua —observó el niño que había levantado la mano.

Toda la clase echó a reír ruidosamente.

—¡Silencio! —dijo la señorita Méndez.

—Juanito, ¿tienes o no tienes una excusa? ¿Por qué estás todo mojado?

—Bueno... es que... —comenzó Juanito.

Y exactamente qué iba él a decir, nadie lo sabe, porque en ese momento la puerta se abrió otra vez, y esta vez entró el director de la escuela, con dos policías detrás de él. Los tres se encaminaron directamente hacia el escritorio de la maestra.

—¿Usted tiene aquí a un niño llamado Juanito González? —preguntó el director—. La policía...

—¡La policía! —susurraron los niños.

—Allí está —dijo la señorita Méndez.

—La policía —dijo el director— acaba de llegar a la escuela preguntando por él. Dice que Juanito saltó desde el puente, cuando venía hacia la escuela esta mañana, y salvó la vida de una niñita que se había caído en el río y que estaba a punto de ahogarse. ¿Eres tú ese muchacho? —dijo volviéndose hacia Juanito.

—Sí, señor.

—Estoy orgulloso de ti, hijo. Fue algo muy valiente de tu

parte. Dios te bendiga. ¿Y por qué viniste a la escuela así?

—Es que tuve miedo que papá se disgustara porque me mojé la ropa —dijo Juanito.

—Bueno, él no está disgustado contigo; al contrario —dijo el director—. He estado hablando con él, y se siente tan orgulloso de ti como yo. —Entonces, volviéndose hacia la clase, añadió—: Y todos estamos orgullosos de él, ¿verdad?

Todos prorrumpieron en un grito de alegría y aplaudieron con entusiasmo. Y los mismos que habían estado burlándose de Juanito hacía pocos minutos, eran los que más entusiasmo tenían. ¡Qué hermoso era tener un héroe en la clase!

—Y ahora, Juanito, es mejor que vayas rápido a tu casa y te cambies de ropa —dijo el director— o cogerás un buen catarro.

Con los dientes castañeteando, Juanito corrió todo el camino hacia su casa.

Y pronto todo el pueblo comenzó a hablar acerca del valiente muchacho quien, en camino a la escuela, había salvado la vida de una niñita que estaba a punto de ahogarse.

6

Las Lágrimas de Jesús

HACE algún tiempo oí a un gran predicador que decía: "Yo quiero vivir de tal modo que pueda enjugar las lágrimas de Jesús".

Esto me hizo pensar. ¿Llora Jesús? ¿Y cómo puede alguien secar las lágrimas de Jesús?

Entonces me acordé de aquel breve texto —uno de los más cortos de la Biblia— que dice: "Jesús lloró" (S. Juan 11: 35).

Por este texto sabemos que él lloró una vez, y esa vez fue cuando María y Marta estaban tristes por la muerte de su hermano, Lázaro.

Y lloró otra vez cuando se sentó en el monte de los Olivos mirando abajo, a la ciudad de Jerusalén. Esta vez era porque estaba pensando cuánto iba a sufrir en el futuro la pobre gente de esa ciudad.

El nunca lloró por sí mismo, solamente por otros.

Cuando tú te lastimas, lloras por ti mismo o por ti misma; lo mismo haces cuando alguien ha sido malo contigo, o cuando tu mamá te disciplina porque te has portado mal. Pero Jesús no lloró ni siquiera en la cruz. Cuando los soldados le traspasaron las manos con grandes clavos, él solamente oró: "Padre, perdónalos, porque no saben lo que hacen".

¿Y llora él ahora? A mí no me sorprendería. Porque si lloró   29

Cada mala acción entristece a Jesús; en cambio, cada ▶
acción noble hecha en su nombre, le hace feliz.
R. HARLAN © R. & H.

cuando pensó en lo que les iba a pasar a los habitantes de Jerusalén, ¿cómo crees tú que se sentirá cuando mira, desde el cielo, a este mundo lleno de dolor y tristeza, sabiendo lo que pronto le ocurrirá?

Cuando él ve a tantos niños y niñas que andan por mal camino, que crecen egoístamente, y son rudos, crueles y duros de corazón, creo que debe ponerse muy triste, especialmente sabiendo que ninguno de ellos —a menos que se conviertan— verá el hermoso reino que él está preparando para los que le aman.

¿Y cómo puede alguien enjugar las lágrimas de Jesús?

¿Siendo bueno? Esto ayuda, naturalmente. Y también siendo honestos, dadivosos y obedientes.

Sin embargo, hay algo que enjuga las lágrimas de Jesús más rápidamente que cualquier otra cosa.

¿Puedes adivinar qué es?

Es siendo amable con los otros; haciendo sentir felices a los demás. Lo más importante de todo es hacer que los demás lo amen a él.

Y así como el sufrimiento de la gente lo hacía llorar cuando estaba en esta tierra, así también el pensamiento de la gente que se salva del sufrimiento —provocado por todos los tristes resultados del pecado— hace que Jesús sienta la felicidad más grande hoy.

¿No sería hermoso que cada niño y cada niña que lee estas líneas dijera: "Quiero vivir de tal manera que enjugue las lágrimas de Jesús"?

¿No quisieras tú decirlo —de veras— ahora?

El Incendio y la Cerca de Papá

UN DIA, cuando Felipe y Gladys regresaban de la escuela a la casa, observaron ciertas nubes de humo que ascendían de la tierra.

Primeramente pensaron que su casa podría estar incendiándose. Pero no. Cuando se acercaron vieron que el humo venía de una faja de tierra cubierta de pasto largo y seco.

—Vayamos a ver —dijo Felipe.

—Sí —dijo Gladys, y corrieron rápidamente hacia el fuego. Mientras corrían se dieron cuenta de que el viento levantaba y movía las nubes como si las estuviera abatiendo y hacía que el fuego lamiera a gran velocidad

la tierra y lo destruyera todo en su camino.

De repente notaron algo más, que llenó de temor sus corazones.

—¡Mira! —gritó Felipe—. ¡La cerca de papá! El fuego está yendo justo en dirección hacia ella.

—La va a quemar todita —gritó Gladys—. ¡Pobre papá! Entonces tendrá que construir una nueva. ¿Podríamos hacer algo para salvarla?

—Nadie podría hacer nada ahora —dijo Felipe.

Y ambos, impotentes, observaron cómo el fuego avanzaba rápidamente hacia la cerca.

—Jesús podría —dijo Gladys.

—Sí, él puede —dijo Felipe—, pero ¿le importará a él una cerca?

—Podríamos pedírselo —dijo Gladys.

—Está bien —dijo Felipe—, hagámoslo. Pero es mejor que nos apresuremos porque se va a quemar antes. —Así que los dos niños se arrodillaron en aquella solitaria hacienda del oeste de Australia y oraron con todo fervor: "Querido Jesús, no permitas que el fuego queme la cerca de papá. Nosotros no podemos detenerlo, pero tú puedes. Detén el fuego ahora mismo. Amén".

Entonces abrieron sus ojos. El fuego todavía se dirigía hacia la cerca. Ya las nubes de humo se extendían sobre ella, mientras las llamas, como dedos, comenzaban a alcanzar los postes.

Entonces, repentinamente, el humo se elevó derecho en el aire. Luego se vio que cambiaba de rumbo y tomaba la dirección opuesta. ¡El viento había cambiado!

El fuego ya no se movía tanto. Se detuvo a unos pocos metros de la cerca, y... se apagó.

Mientras vivan, Felipe y Gladys recordarán el extraordinario y maravilloso día cuando Dios salvó la cerca de su papá delante de sus propios ojos.

Hay que Obedecer

ERA época de vacaciones y toda la familia había ido al lago. La mamá, el papá, el tío Alberto, la abuelita y Bárbara habían alquilado una casa de veraneo junto a la más hermosa playa, con una arena tal, que ustedes no podrían imaginar.

Los días eran cálidos y claros, y todo el mundo hubiera estado perfectamente feliz si solamente Bárbara no se hubiese puesto tan fastidiosa.

El gran problema era que a ella no le gustaba hacer lo que se le decía. Parecía como que ella creyese que era demasiado grande para hacer caso a lo que otros le decían, aunque era solamente una niñita.

Si la mamá la llamaba para cenar, se quedaba dando vueltas de un lado para otro hasta que la madre iba y la traía de la mano. Naturalmente nadie se sentía contento con eso y, menos que ninguno, la propia Bárbara.

Si la madre le pedía que le ayudara en algún pequeño trabajo en la cocina, Bárbara se tomaba todo el tiempo que quería antes de ir. Parecía que nunca se le ocurría que, cuando la mamá le decía algo, tenía que obedecer.

Una hermosa tarde, todos se pusieron sus trajes de baño para ir a nadar al lago. Todos, excepto la abuela. Ella dijo que prefería sentarse en una silla de playa y leer.

Cuando la mamá, el papá y el tío Alberto ya estaban listos para ir al agua, la mamá dijo:

—Quedémonos a la orilla donde está playo, y juguemos un rato con Bárbara. Luego ella podrá quedarse con la abuela y nosotros nos vamos a nadar donde es más profundo.

—Está bien —dijo el papá—. Ven, Bárbara, vamos a jugar en el agua.

¿Pero creen ustedes que Bárbara fue al agua entonces? No, ciertamente. Ella quería jugar en la arena. Quería sentarse al lado de su abuelita. Quería hacer todas las cosas, excepto lo que el papá y la mamá le pedían.

—Ven, querida —invitó la mamá—. El agua está hermosa. Te va a gustar mucho. Ven pronto.

—No —contestó Bárbara—, yo quiero hacer unos castillos de arena y jugar con mi balde y mi palita.

—Eso puedes hacerlo después. Ven báñate mientras todos estamos aquí.

—No —dijo Bárbara—. Yo no quiero ir ahora.

—Está bien —fue la reacción del papá—. Dejémosla. Nosotros nos vamos a nadar.

—Bueno —dijo el tío Alberto—, vayamos de una vez.

Así que el papá, la mamá y el tío Alberto se fueron caminando lejos, a donde el lago era más profundo y pudieran nadar. Y entonces comenzaron a zambullirse y a nadar.

Cuando estaban bien adentro, lejos y donde era profundo, Bárbara decidió unirse a ellos.

—Allá voy, mamá —decidió la niña, y comenzó a caminar hacia ella.

—¡Vuélvete! —gritó la abuela, pero Bárbara no le prestó atención. Continuó caminando y caminando hasta que el agua le llegaba bien alto.

De repente la mamá se dio cuenta del peligro y le gritó:

—¡Vuélvete! ¡Vuélvete, Bárbara!

Pero Bárbara continuó caminando, y el agua ya le llegaba casi al cuello.

—¡Vuélvete! —gritó el papá.

—¡Vuélvete! —le gritó el tío Alberto.

Entonces, de repente, Bárbara desapareció. Había pisado un pozo donde el agua estaba más profunda.

Ante esta situación la mamá, el papá y el tío Alberto nadaron frenéticamente hacia el lugar. La abuela misma echó a caminar en el agua también, hasta que su vestido estuvo todo mojado.

El tío Alberto, que fue el primero en llegar al lugar, se sumergió, y allí encontró a Bárbara bajo el agua. La asió fuertemente y la trajo a la superficie. Entonces la llevó a la playa y allí se turnaron en hacerle masajes y tratamientos para que la niña volviera a respirar.

Fue Bárbara quien me escribió esta historia. Y dice que ella estuvo enferma por un tiempo, hasta que se recuperó. También me dijo que nunca olvidará aquel día junto al lago. Y que desde entonces se prometió a sí misma que el tiempo para obeceder a mamá es AHORA MISMO.

El Hombre que Siempre Oraba

JUAN y su mamá se hallaban en un restaurante de la ciudad. El lugar estaba lleno, y la gente tenía que esperar pacientemente para que les sirvieran la comida. Finalmente, apareció la moza o mesera trayéndoles la comida.

Juan, que tenía mucho apetito, tomó el tenedor y el cuchillo y se preparó para comer. Pero vaciló un momento.

La mamá había inclinado la cabeza para hacer la oración. Juan la miró, y entonces miró a la gente alrededor, se puso un poco rojo y tomó el primer bocado.

—¿No te has olvidado de algo? —le preguntó la mamá, mientras comenzaba a comer.

—No —contestó Juan—, pero todo el mundo me está mirando.

—¿Y qué importa? —observó la mamá—. Si está bien agradecer a Dios por nuestros alimentos en casa, debiéramos hacerlo en todos los lugares adonde vamos.

—Pero la gente está mirando —dijo Juan— y a mí me da vergüenza.

—Sin embargo, no debiera ser así —replicó la mamá—. Nunca debiéramos sentir vergüenza cuando estamos haciendo algo bueno, aunque la gente nos mire.

40

Juan continuó comiendo en silencio. Parecía que el asunto había sido olvidado.

Pero cuando esa noche Juan le pidió a su mamá que le contara una historia, la mamá tenía una preparada. Efectivamente, Juan se sorprendió de cuán rápidamente la mamá había encontrado una historia esta vez, ya que otras veces le llevaba mucho tiempo elegir una.

—Esta es la historia —comenzó la mamá— de un hombre que siempre oraba.

—¿Qué? ¿Oraba todo el día? —preguntó Juan.

—¡Oh, no! Pero siempre oraba sin importarle lo que la gente decía de él o cómo lo tratara —explicó la mamá—. Se llamaba Daniel y era su costumbre orar tres veces al día: una en la mañana cuando se levantaba, otra al mediodía a la hora del almuerzo, y otra más justamente antes de irse a dormir.

—Entonces oraba una vez más que nosotros— observó Juan.

—Sí —dijo la madre—, y es quizá la razón por la cual él era un hombre tan bueno. De todas maneras, ésta era su costumbre. Pues bien, en aquellos días la gente no vivía en casas como las nuestras. No había vidrios en las ventanas, y a menos que se bajaran las cortinas, la gente podía ver adentro. Así que, a menudo sucedía que pasaba la gente y veía a Daniel orando en su cuarto. Pero no lo molestaban cuando miraban hacia adentro preguntándose qué era lo que estaba haciendo.

"Un día, sucedió que algunos de sus enemigos pasaban junto a la ventana y vieron a Daniel orando. Entonces se les

ocurrió hacerle daño. Como tenían influencia sobre el rey, fueron a él con un decreto que habían escrito, y le pidieron que él lo firmara. Dijeron: 'Queremos hacer una ley que si cualquiera pide algo a algún dios, o a un hombre fuera de ti mismo, durante el próximo mes, sea echado al foso de los leones'. Naturalmente era un decreto muy tonto, pero el rey, como se sintió muy halagado con la idea, lo firmó, y el decreto se convirtió en una ley sumamente estricta.

"Entonces se hizo conocer la ley a través de todo el reino, y la gente comenzó a preguntarse qué efecto tendría.

"Temprano a la mañana siguiente la gente comenzó a reunirse alrededor de la casa de Daniel. ¿Oraría él junto a la ventana, como de costumbre?, era la pregunta que todos se hacían.

"Más y más gente vino. Y todos fijaban su mirada en la ventana de Daniel.

"Finalmente llegó la hora de la oración. Daniel se arrodilló en su lugar habitual y oró, como lo había hecho siempre. No trató de correr las cortinas y esconderse, aunque lo hubiera podido hacer fácilmente".

—¿Conocía él la ley? —preguntó Juan.

—Sí —contestó la mamá—, claro que la conocía. El era uno de los gobernantes principales del país, el más importante después del rey, y sus siervos seguramente le habrían hecho saber cómo sus enemigos habían persuadido al rey a hacer esto en su ausencia. Por eso hizo lo que hizo tan valientemente. El se imaginó que tal vez tuviera que sufrir por orar, pero lo hizo de todas maneras. ¡Qué sorpresa se habrá llevado la gente, y qué difícil se les habrá hecho creer lo que estaban viendo! ¡Allí estaba Daniel, arrodillado, orando! Estoy segura de que algunos habrán dicho: "¡Qué hombre valiente!", y otros, "¡Cómo se atreve a desobedecer al rey!"

"Sus enemigos estaban allí también, e inmediatamente corrieron a contarle al rey. Estaban contentos de que Daniel había caído tan pronto en la trampa que le habían tendido.

"—¿Sabes? —le dijeron al rey—. Daniel, que es de los hijos de los cautivos de Judá, no te respeta a ti, oh rey, ni acata

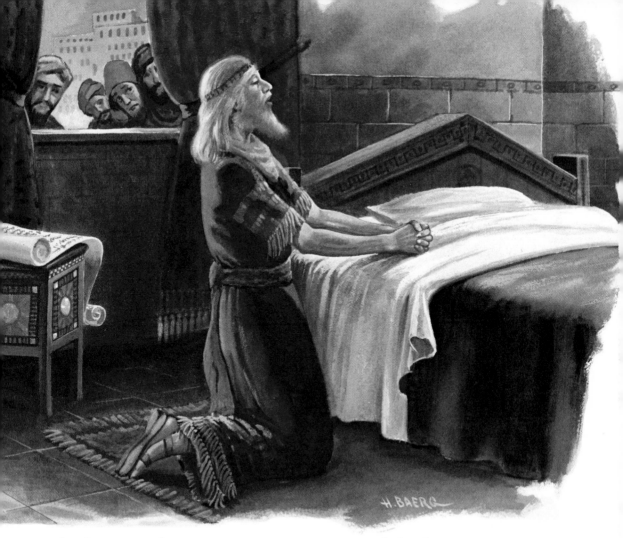

el edicto que firmaste, sino que tres veces al día hace sus peticiones a otro dios y no a ti. Tú debes de una vez arrestarlo y echarlo en el foso de los leones.

"Ahora, el rey se puso a pensar seriamente acerca de Daniel. El sabía cuán buen hombre era, y valoraba su sabio consejo y su interés por el reino. Lo último que hubiera deseado era echar a Daniel al foso de los leones. Se sintió muy triste de que su tonto orgullo y vanidad le hubieran instado a firmar el decreto. Ahora, sin embargo, no podía hacer nada. Una vez firmado el decreto, no se podía echar atrás y muy a su pesar, dio órdenes para que Daniel fuera echado en el foso de los leones.

"Los soldados rodearon la casa de Daniel y se lo llevaron.

Una gran multitud observaba la escena, y lo siguió hasta el foso de los leones. Vieron cómo se abrieron las puertas, y fue echado adentro el pobre hombre. La mayoría de ellos creían que sería despedazado en un momento; pero les esperaba una gran sorpresa.

"Aun en el foso de los leones, con las bestias que lo rodeaban, Daniel oró a Dios, y Dios oyó su oración.

"Durante toda aquella noche el rey no pudo dormir y, muy temprano en la mañana, se dirigió solo hacia el foso de los leones y preguntó en un tono apenado: 'Daniel, siervo del Dios viviente, el Dios tuyo, a quien tú continuamente sirves, ¿te ha podido librar de los leones?'

"Entonces, para gran alegría suya, el rey oyó una voz familiar que venía desde el foso. Daniel dijo: 'Oh rey, vive para siempre. Mi Dios envió su ángel, el cual cerró la boca de los leones, para que no me hiciesen daño'.

"Tan contento estaba el rey, que inmediatamente ordenó que sacasen a Daniel del foso; pero también ordenó que fueran arrojados en él los enemigos de Daniel. Después de esto hizo otro decreto, que envió a todas partes del reino:

"'De parte mía es puesta esta ordenanza: Que en todo el dominio de mi reino todos teman y tiemblen ante la presencia del Dios de Daniel; porque él es el Dios viviente y permanece por todos los siglos, y su reino no será jamás destruido, y su dominio perdurará hasta el fin. El salva y libra, y hace señales y maravillas en el cielo y en la tierra; él ha librado a Daniel del poder de los leones'.

"Y así —concluyó la mamá—, debido a que Daniel fue fiel en sus oraciones todos los días sin preocuparle quién lo estuviera observando, o si sufriría persecución por ello, esas hermosas palabras del rey acerca del poder del Dios de Daniel fueron enviadas a todas las gentes de su reino. ¿Y quién sabe cuánto bien hicieron?"

Juan permaneció en silencio por un momento. Luego dijo:

—Siempre haré mis oraciones, dondequiera esté.

Dios envió a su ángel para proteger a Daniel de los leones hambrientos, y éstos ni siquiera lo tocaron.

10

Santiago y los Frascos de Mermelada

SANTIAGO les echó una mirada a los frascos de mermelada. Se le hacía agua la boca. En esto, naturalmente, no era muy diferente de la mayoría de los otros niños y niñas de su edad. Pero Santiago... bueno, ni siquiera podía mirar esos frascos sin sentir un cosquilleo por dentro.

Sucedió que un día la mamá había pasado toda la mañana haciendo mermelada de fresas. Había llenado 20 ó 30 frascos, algunos grandes, otros pequeños. Temprano en la tarde todos estaban colocados prolijamente en hileras, sobre la parte alta de un armario, en la cocina.

¡Qué espectáculo hermoso ofrecían los frascos, con esas grandes fresas que se veían enteras a través de su espeso jugo rojo!

Contenta de pensar que había terminado su trabajo y lavado los platos y las ollas que había usado para hacer la mermelada, y que toda la loza estaba lavada y guardada, y la cocina limpia y ordenada, la mamá decidió ir de visita por un rato.

—Santiago —le dijo mientras bajaba la escalera, lista para salir—, voy a cruzar la calle para ver a la señora de Pardo por unos minutos. Volveré pronto. Pórtate bien mientras estoy fuera de casa.

46

—Sí, mamá —convino Santiago—. No te preocupes. Me portaré bien.

—Tienes muchas cosas con que jugar, ¿verdad?

—Sí, mamá —dijo Santiago—. Creo que voy a jugar con mis trenes.

—Es una buena idea —repuso la mamá—. Y, de paso, creo que sería mejor que no anduvieras por la cocina.

—Está bien, mamá. ¿Pero, por qué?

—Bueno —dijo la mamá, pensando en sus frascos de mermelada recientemente hecha—, es porque... bueno... creo que es mejor que no vayas. Ahora, hasta luego, Santiago, y pórtate bien.

—Hasta luego, mamá, —y, haciéndole adiós con la mano Santiago corrió hacia donde estaban sus trenes.

Desafortunadamente, la mamá se quedó platicando mucho más tiempo de lo que había planeado. Siempre sucede así, tú lo sabes, ¿verdad?

Mientras tanto, Santiago, habiéndose cansado de jugar con sus trenes, comenzó a jugar con los bloques, y luego con sus camiones y automóviles. Finalmente decidió que ya no iba a jugar. Y se puso a caminar por la casa, mirando qué podía hacer.

Desde la cocina todavía venía ese dulce aroma de la mermelada recién hecha, y Santiago pensó que era realmente un olor muy tentador. Se acercó a la puerta de la cocina, la entreabrió y se puso a mirar adentro. Todo estaba tan limpio y arreglado que, francamente, no halló ninguna razón por la cual su madre no quisiera que él fuese a la cocina. Así que entró y comenzó a curiosear dentro de la cocina.

Y mientras caminaba se decía a sí mismo: "Me pregunto dónde habrá puesto mamá esa mermelada".

De repente miró hacia arriba y allí vio toda la mermelada, que ocupaba tres estantes de un viejo armario de cocina. Los frascos, con su color rojo brillante, parecían filas de soldados antiguos como los que había visto muchas veces en sus libros con ilustraciones.

—¡Ah, qué pila de conserva! —exclamó Santiago.

Y miró, miró y miró.

"Me pregunto —continuó después de un rato— si a mamá le molestará que yo abra la puerta del armario para verlos más de cerca".

Pero como la mamá no estaba para contestar a su pregunta, decidió contestarla por sí mismo, y procedió a llevar el taburete junto al pie del armario.

Tendrás que saber que ese antiguo armario de cocina estaba formado de dos partes separadas, colocadas una sobre otra.

De pie sobre el taburete, Santiago apenas podía alcanzar el picaporte de la puerta, el cual haló suavemente. Las dos puertas se abrieron permitiéndole ver un espectáculo maravilloso. ¡Qué de frascos de mermelada roja, deliciosa!

—¿Le molestaría mucho a mamá —se preguntó a sí mismo— si yo probara sólo un poquitito de mermelada? Hay tanta que no creo que mamá siquiera se dé cuenta. Estoy seguro que no le importará.

Así que Santiago, poniéndose en punta de pies sobre el taburete, trató de alcanzar uno de los frascos de mermelada.

Pero ¡ay!, justo en ese momento el taburete se deslizó de debajo de sus pies. Para salvarse, Santiago se cogió desesperadamente de uno de los estantes del armario y... ¡crash!

En un instante Santiago, el armario y los frascos de mermelada se habían convertido en una sola cosa, untada con algo pegajoso que se había desparramado por el piso de la cocina.

En ese mismo momento la mamá llegaba a la casa, luego de visitar a la señora Pardo. Oyendo el ruido, corrió rápidamente para encontrarse con Santiago, que yacía en el suelo cubierto con los restos de la conserva de fresa.

—¡Oh, mi querido Santiago! —dijo ella, corriendo hacia él—. Está muerto. Estoy segura de que está muerto. ¡Mi querido Santiaguito!

Pero Santiago no estaba muerto. Por lo menos, algo se estaba moviendo debajo del armario, y cuando la madre lo levantó,

Santiago se puso de pie. ¡Qué espectáculo ofrecía! Parecía como una rebanada de pan cubierta con mermelada por sus dos lados. Estaba untado de mermelada desde la cabeza a los pies. Tenía mermelada en el pelo, mermelada en la camisa, mermelada en los pantalones, mermelada en los zapatos.

La mamá tomó a Santiago y lo llevó directamente a la pileta y comenzó a lavar toda esa mermelada y a quitársela de los ojos y de las orejas. Fue entonces cuando la mamá se dio cuenta de que él no estaba lastimado. No tenía ni siquiera un simple rasguño a pesar de todos esos vidrios rotos. Entonces la mamá cambió de tono. Se enojó, y no hubo duda de ello.

—¡Eres un desobediente, Santiago! —gritó—. ¿Cómo te atreves a desobedecerme? ¡Mira toda mi mermelada! ¡Mira mi armario, todo hecho pedazos! ¡Eres un desobediente!

Y tomando a su hijo firmemente de la mano, la madre comenzó a subir la escalera, rumbo al dormitorio de Santiago.

Qué fue lo que sucedió en el segundo piso de la casa, te lo dejo para que lo imagines; pero Santiago me dijo... sí, él mismo me lo dijo, que en su vida no olvidó lo que le sucedió aquella tarde.

11

Todo Porque
se Pelearon

¡PAM! ¡Pim! ¡Pum! Tomás y Enrique se estaban peleando, dándose puñetazos con tanta fuerza como podían.

—¡Toma! —gritó Enrique muy enojado, lanzándole un puñetazo en la mejilla a Tomás.

—¡Y tú toma este otro! —replicó Tomás dándole otro a Enrique en la nariz.

—¡Quietos, muchachos! —dijo una voz de hombre—. ¡No más! ¡Sepárense!

Tomás y Enrique levantaron la vista para encontrarse con la mirada de don José, el anciano y amigable botero, el del brazo corto, como lo llamaban. Naturalmente, no podían seguir peleando mientras él estuviera parado a su lado, así que metieron las manos en los bolsillos y se quedaron mirándose el uno al otro, muy serios.

—Vengan y siéntense en mi bote durante un minuto, y les contaré una historia.

Humildemente los muchachos hicieron lo que don José les sugirió. Tomás se colocó a la derecha del anciano y Enrique a la izquierda. Pronto los tres estaban sentados en el bote dado vuelta.

—Cuando yo era muchacho —comenzó don José—, mi hermano y yo solíamos jugar con aros.

51

—¿Aros? —preguntó Enrique—. ¿Qué es un aro?

—Es un anillo de hierro angosto de unos cuarenta centímetros de diámetro. Los niños y las niñas más pequeños tenían círculos de madera que hacían rodar con un dispositivo de palo. Los muchachos más grandes usaban un gancho de metal para hacer rodar los aros.

"Bueno, mi hermano mayor y yo estábamos afuera jugando con nuestros aros. Yo estaba usando un palo para hacer rodar mi aro, mientras que él tenía un gancho de hierro porque era dos años mayor que yo.

"Una y otra vez yo le había pedido que me dejara usar su gancho, pero él no me lo quería prestar, pues decía que yo era sólo un chicuelo y que no sabría cómo manejarlo.

"Yo le replicaba que yo podría hacerlo tan bien como él, y que si él me dejaba tenerlo por un ratito yo se lo demostraría.

"El me contestaba que no pensaba prestarle su gancho a ningún mocoso como yo. Continuando las cosas así, un día yo le di un puñetazo en el estómago y él me devolvió el golpe pegándome en la oreja, y así siguió la pelea.

"Y mientras peleábamos, mi hermano dejó caer su gancho que yo traté de tomar. Para impedir que yo lo tomara, él me empujó, y me caí sobre él, golpeándome el brazo contra la calzada de granito.

"Aturdido por el dolor, di un grito y caí al suelo, sin poder

levantarme. Alguien vino y me levantó, pero yo seguía gritando, porque el brazo me dolía mucho.

"Cuando traté de levantar el brazo, no pude hacerlo. Me dio mucho miedo. También mi hermano tuvo miedo y trató de consolarme.

"Entonces vino un hombre que sabía algo de primeros auxilios. Le echó una mirada a mi brazo, y dijo que estaba quebrado y que deberían hacerme ver por un médico.

"Entre ambos me llevaron a casa. Mamá estaba desconsolada. Se vistió rápidamente, y todos fuimos al doctor.

"El me cortó la manga de la camisa y me miró el brazo. Y su pronóstico fue que tenía una fractura compuesta y que me había dislocado el brazo. Luego colocó el brazo en su lugar y le puso tablillas. Pero no se curó bien. Como ven, hoy todavía tengo el brazo dos centímetros más corto que el otro".

—Yo siempre me había preguntado por qué usted tiene un brazo más corto que el otro —dijo Tomás, con la voz trémula—. Me alegro de que nos haya contado lo que le sucedió.

—Sí — dijo don José —, y todo fue porque nos pusimos a pelear.

—Entonces, ¿es por eso que usted ha interrumpido nuestra pelea? —preguntó Enrique.

—Exactamente —dijo don José—. Cuando veo que los muchachos se pelean, me da miedo de que alguien se lastime y sufra tanto como yo. No vale la pena, muchachos. Yo lo sé, recuerden mis palabras, no vale la pena.

El anciano don José tenía razón. No vale la pena.

El pelearse no ayuda a nadie.

12

El Milagro
de la Lancha
a Motor

LAS lanchas a motor siempre me han emocionado. Siempre me ha gustado leer acerca de ellas; hasta soñaba con ellas. Y a ustedes, ¿les pasa eso también?

Conozco una historia de una lancha misionera que es muy peculiar. Y estoy seguro de que ustedes nunca han leído algo igual. Y, sin embargo, es absolutamente verdad.

Sucedió durante la guerra en el Pacífico Sur. La lancha, una hermosa lancha misionera, había sido tomada por los militares poco después de haberse declarado la guerra. Naturalmente, el misionero que estaba a su cargo lo lamentaba, pero no había nada qué hacer, pues el enemigo se estaba acercando cada vez más. Los creyentes del lugar también estaban tristes porque conocían muy bien esa lancha, y porque ella era para los mismos un mensaje de luz que iba de isla en isla visitando a la gente con las buenas nuevas del amor redentor de Dios.

Un tiempo más tarde, cuando las fuerzas aliadas fueron obligadas a dejar las islas, los militares decidieron destruir la lancha misionera para prevenir de que cayera en manos del enemigo. Así que enviaron a alguien para que le echara gasolina a la lancha y le prendiera fuego. Se produjeron una gran explosión y una enorme llamarada; pero un viento repentino

55

56 sopló sobre las llamas, y la lancha, aunque un poco chamuscada en algunas partes, quedó intacta.

Pronto los extranjeros que estaban en la isla la abandonaron y quedaron solamente los habitantes del lugar. Los que pertenecían a la misión decidieron que iban a tratar de salvar la lancha. Así que la empujaron, y la escondieron lejos, en un pequeño arroyo. Entonces plantaron unos arbustos y enredaderas en el muelle para que el enemigo no pudiera verla desde los aviones.

Luego trataron de inutilizar la lancha, de manera que si el enemigo la llegaba a encontrar, no pudiera usarla. Para ello decidieron sacarle el motor y desparramar las diferentes piezas por distintos lugares de la isla.

Imagínense eso por un momento: los isleños cristianos, quienes una sola generación antes habían sido caníbales, tomando un motor de gran poder y descomponiéndolo en piezas con el fin de salvarlo para Dios y la misión.

Pero ellos lo hicieron. Con pinzas, tenazas y destornilladores desarmaron el motor y lo convirtieron en una pila de tornillos, pernos, chavetas, pistones, bujías, y todo lo demás. Entonces vino la tarea de esconder todas esas piezas para que el enemigo no pudiera encontrarlas, y de tal modo que, si alguna vez tuvieran ocasión, pudieran reunir otra vez todas las partes y hacer funcionar la lancha misionera. Una de las

W. HEASLIP

piezas más grandes, el bloque, fue enterrado en la arena, y el cigüeñal fue atado a la rama de un árbol muy alto. Por otra parte, los tornillos, los pernos, las arandelas y otras piezas pequeñas fueron cuidadosamente atados juntos, en "collares", que colgaron en sus cuellos. Pensaron que los japoneses creerían que estaban usando amuletos como los isleños paganos, y tenían razón. Y llevaron estos "amuletos" en sus cuellos hasta que terminó la guerra.

Ningún espía enemigo sospechó lo que eran en realidad.

Finalmente la guerra terminó. Los japoneses se fueron, y los aliados regresaron a la isla. Poco tiempo después volvió el mismo misionero.

Cuando los creyentes lo vieron, se reunieron con gran gozo. Entonces le preguntaron si le gustaría ver la lancha misionera.

—¿La lancha misionera? —preguntó él—. Pero si fue quemada y hundida en el agua hace mucho tiempo. El directorio de la misión recibió esta noticia oficial de parte del gobierno.

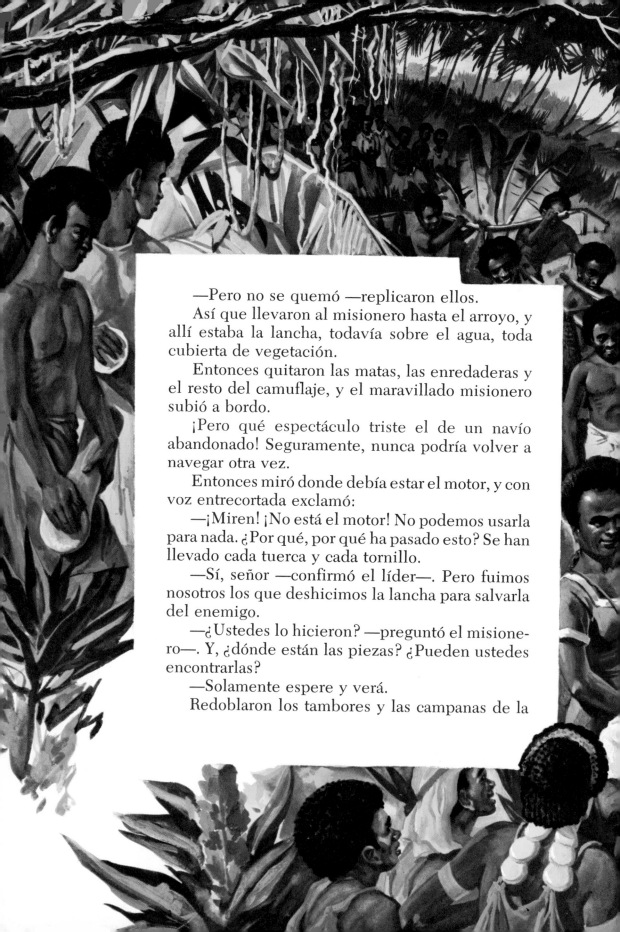

—Pero no se quemó —replicaron ellos.

Así que llevaron al misionero hasta el arroyo, y allí estaba la lancha, todavía sobre el agua, toda cubierta de vegetación.

Entonces quitaron las matas, las enredaderas y el resto del camuflaje, y el maravillado misionero subió a bordo.

¡Pero qué espectáculo triste el de un navío abandonado! Seguramente, nunca podría volver a navegar otra vez.

Entonces miró donde debía estar el motor, y con voz entrecortada exclamó:

—¡Miren! ¡No está el motor! No podemos usarla para nada. ¿Por qué, por qué ha pasado esto? Se han llevado cada tuerca y cada tornillo.

—Sí, señor —confirmó el líder—. Pero fuimos nosotros los que deshicimos la lancha para salvarla del enemigo.

—¿Ustedes lo hicieron? —preguntó el misionero—. Y, ¿dónde están las piezas? ¿Pueden ustedes encontrarlas?

—Solamente espere y verá.

Redoblaron los tambores y las campanas de la

iglesia repiquetearon a una. El mensaje fue llevado haciendo eco por los valles y las montañas: "El misionero ha vuelto. Traigan todas las piezas de la lancha a la misión".

Y en respuesta comenzó a llegar la más asombrosa procesión que jamás se haya visto. Dos hombres se tambaleaban mientras traían el bloque del motor. Otros dos traían el cigüeñal. Entonces, de lejos y de cerca, hombres y mujeres con sus collares de tuercas, arandelas y tornillos venían y los traían delante del misionero, como símbolo de una lealtad difícil de imaginar.

Cuando terminaron de acarrear todo, había una pila de piezas lo suficientemente grande como para desanimar hasta al más especializado ingeniero de lanchas a motor.

Afortunadamente el misionero tenía habilidades mecánicas y, créanlo o no, dos meses más tarde había hecho que aquel motor anduviera otra vez ronroneando, como un gato persa después de una abundante comida.

¡Ni una pieza faltaba! Todo había sido guardado con seguridad como algo sagrado y precioso, por esta gente de color, los hijos de Dios del Pacífico Sur.

No es de extrañar que fuera grande el regocijo de toda la gente de la isla cuando vieron que la lancha navegaba otra vez. Había sido salvada por un milagro, el milagro de la fidelidad y el amor.

13

¿No era Peligroso?

—PERO, mamá—rogó Donaldo—. Si tú no me dejas tener una caja de fósforos, por lo menos déjame tener uno o dos fósforos.

—No —contestó la madre firmemente—. Los fósforos no se hicieron para jugar. Son muy peligrosos.

—Al contrario —dijo Donaldo, desdeñosamente—. Además, mamá, yo solamente quiero prender un fueguito en el patio... Eso no le va a hacer mal a nadie, ¿verdad?, porque no hay nada cerca. Nada se va a incendiar. Vamos, déjame tener un fosforito.

—No —replicó la mamá más firmemente que antes—. Tú no tendrás fósforos hoy, Donaldo. Entiende esto. ¿No sabes que no ha llovido aquí desde hace varias semanas? Todo está muy seco. Solamente una chispa, y todo se convertirá en un gran fuego.

—No, no se va a prender fuego —insistió Donaldo—. Por lo menos no donde yo voy a encender mi fogatita.

—Lo siento —dijo la madre—. No puedo hacer nada. No va a haber ninguna fogata en los alrededores hasta después de la próxima lluvia. Prender una fogata no es seguro Donaldo. Sé razonable, hijo.

—¡Hum! —mostró su disgusto Donaldo, saliendo de la   61

cocina y murmurando entre dientes—. Claro que es seguro.

Una vez afuera comenzó a andar por el patio de aquí para allá, mirando qué otra cosa podría hacer. Y de vez en cuando iba a darle una miradita a la pila de leña que había juntado para su preciosa fogata. Cada vez que la veía se enojaba porque no se le permitía encender fuego.

Pronto oyó la voz de la mamá que lo llamaba por la puerta de atrás:

—Voy a ir al pueblo un ratito, Donaldo. Cuida a tu hermanita hasta que yo vuelva. Pórtate bien. No tardaré mucho.

Después que la madre se había ido, María salió para jugar con Donaldo, un hermano a quien quería mucho. Pronto ella se dio cuenta de que él no estaba muy contento.

—¿Qué te pasa, Donaldo? —le preguntó María amorosamente—. Parece que estuvieras triste.

—No, nada —replicó aquél—. Sólo que yo quería encender un fuego esta tarde, pero no tengo ningún fósforo.

—Yo te puedo conseguir algunos —se ofreció ella—. Yo sé dónde los guarda mamá.

—Pero mamá dijo que yo no… —comenzó a decir Donaldo.

—No importa; ella no me dijo nada a mí —replicó María—. A ella no le molestaría que yo los tuviera.

Donaldo, naturalmente, debería haberle contado a María toda la historia, pero no lo hizo. Dejó que ella tomara los fósforos, y ése fue su primer error. El segundo fue prender uno de los fósforos y arrimarlo a la pila de leña.

—No hay peligro de todas maneras —se dijo a sí mismo tratando de acallar su conciencia—. Vamos a divertirnos un poco, y entonces el fuego se apagará. Terminará mucho antes de que mamá vuelva.

Y lo fue, pero no como él lo esperaba.

En tiempos normales, no hubiera sido peligroso encender un fuego donde Donaldo había preparado el suyo; pero la mamá tenía razón. Después de una larga sequía, un fuego en cualquier parte era muy peligroso.

Tan pronto como el fósforo tocó la paja, los palitos y la vieja madera que había juntado Donaldo, estalló una llamarada como si alguien los hubiera regado con gasolina.

Donaldo y María retrocedieron por el calor, y observaron asombrados cómo las llamas lo lamían todo, danzando y crepitando.

Donaldo se estaba diciendo otra vez: "Claro, que no hay peligo", cuando se dio cuenta de que un pedazo de papel a medio quemar, que había estado volando por el aire, caía lejos a cierta distancia, tocaba un parche de pasto largo y seco e iniciaba un fuego. Rápidamente él corrió para apagarlo con los pies, pero era demasiado tarde. En un instante todo el pasto era un enorme incendio, y las llamas parecían lamer metros y metros por cada segundo que pasaba, extendiéndose en todas direcciones.

—¿Qué haremos? —gritó María, tratando de apagar las llamas con su piececito.

—No te preocupes —dijo Donaldo, tratando de aparentar

64   calma—. Pronto se apagará solo. Estamos bastante seguros aquí. No va a pasar nada.

Pero aunque Donaldo hablaba de este modo, se sentía muy mal por dentro, porque él sabía que, aunque pudiera cubrir las cenizas de su fogata, nunca podría ocultar el gran parche negro de la vista de su madre.

Pero todavía lo peor estaba por suceder. Una suave brisa soplaba a través del patio; las llamas se encontraron con ella, y luego dieron vuelta en una nueva dirección.

—¡Oh, mira! —gritó María—. El fuego se va derecho al gallinero. Las cluecas de mamá están allí, y todos los pollitos. Apresúrate, Donaldo, rápido. Sácalas de allí antes que se quemen.

Donaldo corrió, pero otra vez era demasiado tarde. Ya las llamas habían alcanzado la puerta del gallinero y estaban devorando todo lo que encontraban.

—¡Los pollitos de mamá! —gritó María aterrorizada—. ¡Se quemarán vivos!

Ahora sí Donaldo experimentaba miedo. Desde dentro del gallinero salieron los gritos más extraños de las aves des-

pavoridas que, atemorizadas por las llamas, trataban de salir por las ventanas cerradas. Pero estaban atrapadas.

María y Donaldo se quedaron sin saber qué hacer y llorando desconsoladamente. No había nada que pudiera hacerse. El gallinero, seco como estaba, ardió como una antorcha durante tres o cuatro minutos. Después cayó, convertido en una pila de brasas ardientes. ¡Todos los pollitos estaban muertos!

María, llorando amargamente, se fue hacia la casa. Donaldo, pálido como un fantasma y con el corazón agitado, encontró un rincón oscuro en el sótano para esconderse.

"¿Qué dirá mamá? —pensó, mientras esperaba allí solo—. ¿Y qué hará papá?" ¡Cómo deseaba no haber sido desobediente!

Las lágrimas se deslizaban por sus mejillas. El no había querido hacer eso. Por nada del mundo jamás hubiera querido matar los pollitos y las gallinas de su mamá. ¡Y se habían quemado vivos! ¡Pobrecitos! Mamá tenía razón después de todo. Era peligroso prender fuego. Oh, ¿qué podría hacer ahora?

Llorando silenciosamente, se quedó dormido.

Cuando despertó y miró hacia arriba, vio a ambos, al papá y a la mamá, mirándolo. Lo habían estado buscando desde que habían vuelto del pueblo, al ver el daño que él había hecho. Ambos estaban muy tristes. Pero, por la cara de Donaldo, de alguna manera parecía que se habían dado cuenta que éste había aprendido la lección.

Sí que la había aprendido. Por eso no tuvo que ser disciplinado otra vez. Y les prometió a sus padres que nunca pondría en duda lo que ellos le dijeran, ni los desobedecería. Y cumplió con su promesa.

14

El Perro de Zulú

UNA niñita me envió esta historia desde Zambia, país que se halla en el corazón mismo del Africa. En su carta me dice que ella lee los relatos de *Cuéntame una historia* y que quería enviarme uno relatándome lo que le había sucedido a su perro Capitán.

Parecía que Zulú tenía varios perros, pero Capitán era su perro favorito. Todas las mañanas ella corría afuera para desearle los buenos días y darle la comida.

Un día, mientras ella le llevaba la comida a Capitán, se dio cuenta de que él no estaba allí.

—¡Qué raro! —pensó—. ¿Dónde estará?

Y lo llamó y llamó, pero Capitán no apareció.

—Bueno —se dijo a sí misma—, todos los perros se van a veces. Ya volverá tan pronto como sienta hambre.

Así que les puso la comida a los otros perros y se fue a la escuela. Pero cuando volvió a la casa aquella tarde, Capitán no vino a recibirla. Ella comenzó a preocuparse. "Quizá le haya pasado algo" pensó. ¿Sería que alguna víbora lo había mordido o se lo había llevado un cocodrilo?

Se hizo oscuro, y Capitán no había aparecido aún.

Aquella noche, antes de dormirse, Zulú oró por su perro, para que pudiera volver sano y salvo a la mañana siguiente.

67

Amaneció, y allí estaba Capitán, afuera junto a la puerta. Pero ¡oh, su pobre patita! Era un espectáculo terrible. Qué le había sucedido, Zulú nunca lo supo. Y, naturalmente Capitán no podía contárselo.

Tiernamente la niña le limpió la herida, y le colocó una suave venda en la pata.

Capitán se quejaba continuamente mientras ella lo hacía, pero no trató de morderla. Parecía entender que ella estaba haciendo lo mejor que podía para no hacerle doler y para que se le sanara la pata.

Algunas semanas más tarde, cuando la pata de Capitán ya estaba curada, Zulú fue con él al río, que no estaba lejos de la casa.

Al ver un hermoso nenúfar cerca de la orilla, ella trató de alcanzarlo, pero fue a dar al agua. Se hundió hasta el fondo, y cuando salió a la superficie se puso a gritar pidiendo ayuda. No podía nadar, ni tocar fondo con los pies. Pero nadie oía sus gritos. Nadie, esto es, excepto Capitán. En un instante él saltó desde la orilla hacia el agua profunda, y tomando entre sus dientes la ropa de Zulú, luchó hasta que finalmente pudo traerla lo suficientemente cerca de la orilla como para que ella pudiera hacer pie y salir con seguridad.

"Como usted ve, tío Arturo, me decía Zulú al final de su carta, realmente vale la pena ser bondadosos con los animales".

¡Y lo mismo digo yo!

15

Los Patines de Brenda

HABÍA una cosa que Brenda quería más que cualquier otra para su cumpleaños: un par de patines. ¡Cómo había rogado y rogado por ellos! ¡Cuántas veces les había prometido a su papá y a su mamá que sería tan buena como una santa durante los próximos diez años, si solamente tuviera un par de patines!

Inútilmente la madre le explicó a Brenda que quizá ella no aprendería a andar en patines tan rápidamente como los otros niños, pues tal vez se caería muchas veces, y quizá se lastimaría antes de poder patinar perfectamente. Pero Brenda insistía en que quería los patines.

Todo el día pensaba en sus patines, y por las noches soñaba con ellos. Se imaginaba a sí misma patinando todo el tiempo: para ir a la escuela y volver a la casa, al acompañar a su mamá para ir de compras, en el patio, en la terraza, en fin, por dondequiera anduviese. ¿Es que acaso su cumpleaños nunca iba a llegar?

Pero finalmente llegó, y con él el precioso regalo que tanto había anhelado. De algún modo, antes de abrirlo, había adivinado que dentro de esa caja estaban los patines. Y efectivamente allí estaban. Unos preciosos patines nuevos y brillantes. Justo su medida. ¡Qué felicidad! Brenda sintió como que nunca en su vida había sido tan feliz.

Y ahora iba a practicar con ellos. Apenas terminó el desayuno, se fue afuera, hacia el frente de la casa, y se puso los patines. "¡Finalmente —pensó— voy a poder patinar!"

Ansiosamente se puso de pie. Pero por sólo un momento porque, repentinamente, para su gran sorpresa, sus pies parecieron moverse sin que se lo propusiera, y ¡pam!

—¡Mamá —gritó—, me caí!

Pero la madre estaba adentro ocupada, y no se dio cuenta de lo que pasaba. Así que Brenda se levantó, para probar otra vez. Pero apenas se impulsó con un pie para adelante, el otro pie, por alguna razón, comenzó a deslizarse hacia atrás, y ¡pam!, otra vez se cayó Brenda. Y esta vez de cara.

"Esto realmente duele", pensó, y casi se puso a llorar. Lentamente se levantó una vez más y comenzó a caminar. Pero antes de que se diera cuenta de lo que estaba sucediendo, ¡pam!, y se halló sentada en el cemento otra vez. Por alguna razón ella no podía patinar. Tan pronto como se levantaba, se volvía a caer. Era un ¡pam! tras otro, hasta que ciertas partes de su cuerpo le empezaron a doler mucho. Y se sintió muy triste. Todos sus sueños de ir patinando a la escuela, y al pueblo, como las otras niñas, se desvanecieron.

Y mientras estaba sentada, otra vez, en el piso de cemento, sus ojos se llenaron de lágrimas. Comenzó a pensar que lo mejor hubiera sido no haber deseado jamás tener patines para su cumpleaños. ¿Por qué no había pedido una nueva muñeca?

¿O un cochecito de muñecas? Con ellos no se hubiera golpeado así.

—Patines tontos —gritó, desatándolos y tirándolos hacia adentro por la puerta de atrás con un fuerte ruido.

—¿Qué pasa? —preguntó la mamá—. ¿Ya estás cansada de patinar?

—No —dijo Brenda enojada—. Pero no puedo patinar. Me he caído vez tras vez, y estoy muy dolorida.

—No te des por vencida todavía —le dijo la mamá—. Tú no has empezado a aprender siquiera. Debes seguir probando hasta que sepas hacerlo.

—¡Probar! —gritó Brenda—. Yo he tratado tantas veces de andar, y te digo, mamá, que me duele todo el cuerpo. Ojalá nunca hubiera pedido patines.

—¡Oh, oh! —dijo la mamá—. Tú te estás dando por vencida demasiado pronto.

—Tú también lo hubieras hecho —replicó Brenda— si te hubieras caído y te hubieras golpeado tantas veces en el mismo lugar como yo esta mañana. Nunca podré andar en patines.

—Pero Brenda —trató de alentarla la mamá—, tú no vas a dejar que las otras niñas te ganen, ¿verdad?

—No importa —dijo Brenda—. Yo no puedo andar en patines. No puedo. Y eso es todo.

—Tú no debes decir "No puedo" —le dijo la madre—. Tú
puedes. Sólo que, si andar en patines es fácil para algunos, es
muy difícil para otros. ¿Por qué? No lo sé. Una vez vi a dos
niñitas que consiguieron patines por primera vez. Una de
ellas se los puso y allá se fue andando, como si lo hubiera
hecho toda la vida. La otra se cayó en cuanto se puso de pie.
Pero trató y trató y trató, y ahora puede patinar tan bien como
cualquiera de los otros.

—¿Tú crees realmente que yo podría también, si lo trato?

—Naturalmente —respondió la mamá—. Y voy a ir contigo
ahora mismo, para ayudarte.

—¿Ahora?

—Sí, ahora mismo —dijo la mamá.

Así que fueron una vez más con los patines, y otra vez
Brenda se cayó, golpeándose en el mismo lugar. Pero se
levantó y, apoyándose en su madre, ahora fue hacia adelante
con mucho cuidado.

Y gradualmente, fue aprendiendo cómo hacerlo, cómo
mantenerse en equilibrio, y cómo volverse suave y cuidadosamente hacia un lado y otro.

Por momentos, cuando todo parecía irle mal y estaba ten-
dida en el piso de cemento, y quería darse por vencida y tirar
sus patines, la madre insistía en que debía seguir practicando.

—Nunca debes pensar que tú no puedes hacerlo. Sólo
trata con persistencia, no importa cuántas veces te caigas. Es
como aprender a hacer una tarea difícil en la vida. Nunca te
des por vencida. Siempre trata de realizarla, y vencerás.

Así que Brenda trató vez tras vez hasta tener éxito. Varios
días más tarde estaba andando en patines sola. Y pronto estuvo lista para acompañar a sus amiguitas a la escuela, en
patines. Probando y probando, pudo convertir su sueño en
realidad.

16

"¡He Aquí, Nuestro Rey Viene!"

—¡RAPIDO, niños, rápido! —gritó una voz—. Está viniendo por el camino. —Y al instante los niños y las niñas dejaron sus juegos y se apresuraron cuanto pudieron para ver la escena.

Desde todas direcciones, desde las montañas y desde Jerusalén, la gente venía de a cientos.

Como un fuego desatado se difundió la noticia de que Jesús, el gran Maestro de Galilea, se dirigía a caballo hacia Jerusalén para convertirse en el Rey de los judíos.

¡Qué felices estaban todos! ¡Finalmente iban a obtener su libertad del gobierno romano! El Mesías había llegado para reinar gloriosamente en Jerusalén; alimentaría a los hambrientos y curaría a los enfermos.

¡Y los niños! Apenas podían contenerse. Para ellos Jesús era el gran héroe de la hora. Siempre había sido bueno con ellos, tan diferente de los otros adultos, y todos ellos le amaban mucho. ¡Y pensar que ahora se iba a convertir en su Rey! Estaban realmente llenos de alegría.

—¡He aquí viene! ¡He aquí viene!

La noticia fue repetida por las multitudes que se agolpaban a la orilla del camino y resonó como un eco en los labios de los miles que estaban a la puerta de sus casas mirando hacia las murallas de Jerusalén.

Sí, allí estaba él, cabalgando lentamente sobre un asno y, aunque no estaba vestido de ropas reales, su porte era más majestuoso que el de un rey.

Y a medida que se iba acercando a la ciudad, el entusiasmo se hacía más intenso. La gente se quitaba su manto y lo tendía a lo largo del camino en señal de lealtad y de amor. Otros cortaban ramas de árboles y las desparramaban por donde él iba a pasar, porque todos trataban de honrarle.

Por todas partes se oía exclamar: "¡Hosanna al Hijo de David! ¡Bendito el que viene en el nombre del Señor! ¡Hosanna en las alturas!"

En un momento miles de voces repitieron las palabras de bienvenida: "¡Hosanna! ¡Hosanna! ¡Hosanna en las alturas!" A los que estaban en las murallas de la ciudad las voces que se levantaban del valle les parecían como el rugido de las olas del océano.

Pronto la larga procesión llegó a las murallas de la ciudad. Las puertas se abrieron, y allí se dirigió Jesús en su asno, con los niños y las niñas danzando alrededor de él, llenos de gozo; y la multitud toda le seguía, recibiéndolo como el nuevo gobernante de Israel.

Ahora toda la ciudad estaba conmovida, y todos —hombres, mujeres, y niños— vinieron a ver qué estaba sucediendo. Y creo que nadie se quedó dentro de su casa ese día.

Jesús se encaminó directamente hacia el templo, y al hallarlo lleno de vendedores de ganado, de negociantes y de cambistas, los echó, diciéndoles con una voz llena de autoridad que nadie osó desobedecer: "Mi casa, casa de oración será llamada; mas vosotros la habéis convertido en una cueva de ladrones".

En medio de este tumulto, algunos ciegos y algunos paralíticos fueron llevados a Jesús, y en un momento estuvieron sanos.

Emocionados por la expulsión de los negociantes y por la curación de los ciegos y de los paralíticos, los niños volvieron a cantar: "¡Hosanna al Hijo de David! ¡Hosanna! ¡Hosanna en las alturas!"

Para esto los fariseos vinieron a donde estaba Jesús y le pidieron que hiciera callar a los niños. Pero él rehusó hacerlo. "Si yo los hago callar —dijo él—, las mismas piedras clamarán".

Entonces sucedió algo muy extraño. En medio de todo ese entusiasmo, cuando él hubiera podido fácilmente convertirse en rey si sólo hubiera dicho una palabra, Jesús, silenciosamente, se separó de la multitud y se dirigió hacia una pequeña choza en Betania. Muy pocos lo vieron irse; y cuando descubrieron que se había ido, se preguntaron qué habría sucedido.

Muchos de ellos ya no vieron a Jesús hasta que fue crucificado, y se quedaron perplejos. ¿Por qué este hombre, que parecía tener tanto poder y autoridad, se había dejado tomar tan fácilmente por los enemigos? No podían entenderlo. Y más que nadie los niños, creo, deben haberse sentido desilusionados. Habían puesto tantas esperanzas en Jesús, y ahora, ¡él estaba clavado en la cruz! Era un espectáculo descorazonador.

Pero unos días más tarde corrió la noticia de que Jesús había resucitado de los muertos. Jerusalén estaba llena de rumores. ¿Era esto verdad?

Sí, era verdad. Cientos de personas lo vieron otra vez —hombres, mujeres y niños—. Entonces comenzaron a entender por qué él había rehusado ser rey en esta tierra. Porque él era un Rey mucho más importante que uno terrenal.

Un día, él fue a Betania y, a la vista de sus discípulos, de pronto comenzó a ascender, y fue elevándose por los aires hasta llegar al cielo. Pero antes él había prometido que ciertamente algún día volvería para llevarlos con él.

Desde entonces la gente ha estado esperando a Jesús. Y ahora, casi 2000 años desde que él se fue, ya no va a estar lejos por mucho tiempo más.

Casi todas las cosas que Jesús dijo que pasarían como señales de que pronto volvería, ya han sucedido; así que no vamos a tener que esperar mucho tiempo más. Hoy, miles de hombres y mujeres, de niños y niñas, están preparándose para encontrarse con él. Y les dicen a los que no saben acerca de

Las puertas de la ciudad se abrieron y miles de voces le aclamaron: "¡Hosanna en las alturas!"

78 eso: "¡He aquí que tu Rey viene por ti!"

Y cuando él venga, ¿no estaremos contentos de verlo? Creo que los niños serán los más felices de todos, ¿verdad?

Tal vez él venga en medio de alguna noche oscura y tormentosa. Y de labio en labio correrá la noticia: "¡Viene Jesús!"

Entonces saltaremos de nuestras camas y correremos hacia la ventana y allí, en el cielo, lo veremos en toda su gloria. La oscuridad se disipará y la noche se convertirá en día por el brillo de la luz que lo rodea.

En aquel momento, los que no creyeron en él sentirán mucho temor, pero los niños que lo hayan amado dirán: "Este es nuestro Dios, le hemos esperado, y nos salvará; ... y nos alegraremos en su salvación" (Isaías 25: 9).

17

Por qué Roly
no Comía

ROLY había sido invitado a la casa de José Luis Patiño para cenar, ¡y qué contento estaba! Era la cosa más grande que podía haberle sucedido en la vida.

La mamá de Roly estaba tan contenta por eso como el mismo Roly. Y no dejaba de decirle lo que debía y no debía hacer, para que el papá y la mamá de José Luis vieran qué buen cristiano era su niño.

Durante varios días era solamente: "Roly, haz esto así", y "Roly, no hagas eso", hasta que Roly comenzó a tener un gran entrevero en su cabeza en cuanto a qué debía y qué no debía hacer.

Algunas cosas que su mamá le había hecho saber bien claro era que no hablara a menos que alguien le dirigiera la palabra primero, y que siempre debía decir "Por favor" y "Gracias" en el momento oportuno. Además, naturalmente, no debía hablar con la boca llena; pero la cosa más importante, le había dicho la mamá, era que no debía comenzar a comer hasta que no se hubiera hecho la oración y los otros hubieran empezado a comer.

Finalmente llegó el gran día. Roly, vestido con su mejor ropa, con los zapatos brillantes y el pelo recortado, llegó a la casa de José Luis Patiño. La mamá de José Luis lo recibió a la 79

puerta y lo saludó amablemente.

Pronto se dirigieron al comedor. ¡Qué espectáculo! Nunca había visto Roly una mesa tan lujosa como ésa. Estaba llena de comida deliciosa, servida en platos con ribetes color de oro, y con cuchillos y tenedores de plata. Roly comenzó a preguntarse si no había sido invitado al palacio de un rey, ya que todo era tan maravilloso. Estaba seguro de que iba a tener la mejor cena que jamás hubiera comido, y decidió portarse lo mejor que podía. Entonces apareció el señor Patiño y todos se sentaron alrededor de la mesa, cada uno en su lugar.

Sucede que había una gran diferencia entre el hogar de Roly y el de José Luis. El hogar de Roly era un hogar cristiano, en que antes de comer se hacía una oración de agradecimiento y de bendición sobre los alimentos. Pero en el hogar de José Luis todo era muy diferente. Nadie hacía ninguna oración antes de comer. Y fue aquí donde surgió la dificultad.

Se pasó rápidamente la comida para que todos se sirvieran, al estilo norteamericano. Roly se sonreía mientras se servía grandes porciones en su plato. Y mientras lo hacía, se acordaba de la historia de Benjamín, al cual le habían dado una doble porción.

Estaba por comenzar a comer cuando, súbitamente, se detuvo, dejando el cuchillo y el tenedor sobre la mesa: acababa de acordarse de algo que su mamá le había dicho. Entonces miró alrededor de la mesa. Sí, los otros habían empezado a comer, pero no habían orado todavía. "¿Qué voy hacer?", se dijo.

No sabiendo qué hacer, se puso a esperar.

Pronto el señor Patiño se dio cuenta de que Roly no estaba comiendo.

—¿Qué pasa? —le preguntó amablemente—. ¿Hay algún inconveniente Roly? ¿Tal vez te hemos dado algo que no te gusta?

—No, señor Patiño —dijo Roly poniéndose rojo.

—Pues, ponte a comer —lo instó el señor Patiño—. Nosotros ya hemos empezado.

—Sí, señor, por favor... este... señor —dijo Roly volviéndose más rojo todavía pero sin tomar ni el cuchillo ni el tenedor.

—¿No te sientes bien? —preguntó la señora Patiño con voz preocupada.

—Oh, sí, gracias —contestó Roly—. Me siento bien, gracias.

El señor Patiño apoyó su cuchillo y su tenedor en el plato.

—Pero entonces ¿qué te pasa, hijo? —insistió.

En ese momento todos habían dejado de comer y lo estaban mirando, y Roly deseó no haber venido nunca a esa comida. ¡Oh! ¿Qué iba a decir ahora?

—Vamos, vamos —quiso saber el señor Patiño—. ¿Es por las papas, por la coliflor, por la salsa, o...? Te podemos dar otra cosa si no te gusta esta comida.

—Oh, por favor, todo está muy bien dijo el pobre Roly. Está perfectamente bien. Sólo que...

—¿Sólo que *qué?* —preguntó el señor Patiño.

—Sólo que no ha sido bendecida —dijo Roly, sacando valor para decir esto desde lo más hondo de su corazón—. Jesús no la ha bendecido aún.

Por unos instantes hubo un silencio absoluto. Se lo podía sentir. Entonces el señor Patiño miró a la señora, y ahora fue su turno de ponerse rojos.

Después de un instante, el señor Patiño rompió el silencio.

—Roly tiene razón —dijo—. Muy bien, hijo. Gracias por recordárnoslo. Inclinemos la cabeza para la oración.

Y todos inclinaron sus cabezas.

"Querido Señor —dijo el señor Patiño—, te agradecemos por estos alimentos. Ayúdanos a ser siempre agradecidos. Bendícelos para que sean para nuestro bien, y acuérdate de los necesitados. En el nombre de Jesús. Amén".

Siguió otro silencio. Esta vez fue interrumpido por el sonido del cuchillo y el tenedor de Roly. Ahora que se había hecho la oración, iba a recuperar el tiempo perdido.

En cualquier parte en que se hallen, sea en la casa o en el restaurante, Dios se complace en oír el agradecimiento de sus hijos por los alimentos.

18

¡Mírenme!

GERARDO tenía diez años. Era un muchacho grande para su edad. Tenía buenos músculos en los brazos y en las piernas, y una espalda bien desarrollada. Era muy fuerte y podía tirar la pelota como ningún otro jugador de su equipo. También podía trabajar mucho, siempre que lo quisiera, y esto no era muy frecuente.

La lástima era que Gerardo, que sabía que era más fuerte que otros niños de su edad, pensaba que todo el mundo debía saberlo. Siempre estaba llamando la atención sobre lo que podía hacer. Quería que la gente lo viera y lo alabara en todo lo que hacía.

"¡Miren cómo puedo patear la pelota!", decía, o "Miren cómo puedo remar", o "Miren cómo ando de rápido en la bicicleta". Y cuando iba a cantar se jactaba: "Miren cómo puedo alcanzar las notas más altas".

Realmente se había convertido en algo bastante cansador, porque a la gente no le gusta estar observando todo el tiempo a alguien que quiere ser observado. En efecto, a nadie le gusta que ningún niño o niña se pase hablando de las maravillas que puede hacer. Tarde o temprano, naturalmente, siempre les sucede algo a los que están tan orgullosos de sí mismos. Como dice la Biblia, "Antes del quebrantamiento es la sober-

bia, y antes de la caída la altivez de espíritu" (Proverbios 16:
18).

Y así sucedió con Gerardo.

Una vez estaba de vacaciones junto al mar. En los días calmos, en que no había nubes, se le dejaba andar en bote solo. ¡Y cómo lo disfrutaba! Porque él podía remar muy bien; no había ninguna duda acerca de eso. Podía remar tan rápido como los muchachos mayores.

Pero lo arruinaba todo cuando llamaba, vez tras vez, la atención de la gente como diciéndole: "¡Mírenme!" Y otra vez "¡Mírenme!"

Finalmente tuvo que suceder. Ustedes se hubieran reído de lo lindo si lo hubieran visto.

Resulta que había otro muchacho en un bote que estaba siguiendo a Gerardo y que se le estaba acercando rápidamente. Gerardo lo vio y trató de apresurarse, porque no podía

admitir que nadie le ganara.

—¡Miren como le voy a ganar! —gritó. ¡Miren!

De repente el remo de la derecha se soltó de su base. Gerardo se cayó de espaldas, quedando con los pies en el aire y la cabeza hacia abajo; el remo se le escapó de las manos, y desapareció en el agua.

Un momento más tarde, Gerardo pudo enderezarse y entonces se dio cuenta de que estaba en el mar con sólo un remo. ¿Qué hacer? Era un muchacho inteligente y determinado, así que se las arregló como pudo con un solo remo.

El bote comenzó a moverse hacia adelante, y en pocos minutos Gerardo estaba gritando a la gente de la playa, otra vez: "¡Mírenme, mírenme todos!"

Pero ese día la suerte no acompañaba a Gerardo. Justamente en el momento en que la gente le empezaba a prestar atención, se le zafó el remo de la base otra vez. Gerardo perdió el equilibrio y se cayó de cabeza al agua.

Naturalmente que todos lo estaban mirando, como él lo había pedido tantas veces. Solamente que ahora no necesitaba que lo miraran. Y al verlo, los otros boteros se acercaron hacia él desde todas las direcciones. Un hombre pudo sacarlo del agua y traerlo a tierra. Otro rescató la canoa, mientras otro le buscó los remos.

Realmente, era un espectáculo ridículo el que ofrecía Gerardo, con el pelo, la camisa y los pantalones chorreando agua y haciendo ruido con los zapatos con cada paso que daba.

—¡Mírenme! —gritó una voz burlona de entre la multitud que lo estaba observando.

Los ojos de Gerardo se abrieron grandes. ¿Pero qué podía decir? ¿Qué podía hacer? Todos se estaban riendo, de modo que él se puso a reír también.

Pero aprendió la lección y nunca más dijo: "¡Mírenme!"

El Muchacho que Encontró Oro Negro

—¿NO SERIA lindo si nunca tuviéramos que trabajar? —dijo Ricardo, mientras viajaba con su padre en automóvil, durante las vacaciones.

El papá se sonrió y, quitando la vista del camino, miró al muchacho de nueve años y le contestó:

—Podría ser lindo, pero dudo de que nos gustara a todos. Las manos que no trabajan, se meten en problemas. Además, ¡supónte que todo el mundo tuviera la misma idea!

—¿Quieres decir si todos dejaran de trabajar al mismo tiempo?

—Sí.

—Eso sería fantástico —dijo Ricardo—. Todo el mundo estaría como pasando una gran vacación.

—¿Te parece? —dijo el padre—. Piénsalo. Eso significaría que todos los agricultores dejarían de trabajar, y los maquinistas de los trenes. Y los fabricantes de autos. Y los productores de petróleo, y todo el mundo. Así que no habría comida para comprar. Además todos los comercios estarían cerrados. Nadie trabajaría. No se podría comprar un automóvil, y si se tuviera uno, no podría manejárselo porque no tendría gasolina. No, no favorecería nada. Si queremos que la vida continúe normalmente, debemos trabajar. Todo el mundo debe trabajar y hacer su parte en la gran tarea.

—Y hablando de gasolina —dijo Ricardo—, tu tanque está casi vacío, papá.

—¡De veras! —exclamó el padre—. Debemos cargar en la próxima gasolinera.

Y se arrimaron a la bomba de gasolina de la primera estación de servicio que vieron.

—¿Sabes? —dijo el padre cuando comenzaron a andar otra vez. Esas bombas de gasolina son un verdadero monumento al trabajo duro. Nunca las miro sin pensar en el hombre que las trajo a la existencia. ¡Cómo trabajó!

—¿Quién fue? —preguntó Ricardo.

—Te lo contaré —dijo el padre—. Es realmente la historia de un muchacho, de un muchacho que encontró oro negro.

—¿Y entonces? —preguntó Ricardo, presintiendo una historia interesante.

—Yo no sé qué edad tenía él entonces —continuó el padre—, pero no era más que un muchacho cuando oyó acerca del descubrimiento de oro negro en Pensilvania. Al petróleo se le llama oro negro, tú sabes, porque es casi tan precioso como el oro.

"Corría el año 1859 cuando fue perforado el primer pozo de petróleo en América, y el líquido precioso comenzó a salir a unos veinte metros de profundidad. Este muchacho, cuyo nombre era Schofield, pasó ocho años recorriendo Pensilvania, en busca de petróleo. Era un buscador de petróleo, como otros eran buscadores de oro. Entonces alguien le dijo que allá lejos, en el Oeste, en un lugar llamado California, había una región que tal vez podía darle petróleo.

"De modo que el joven Schofield se dirigió hacia el oeste, y en 1875 comenzó a buscar señales de petróleo por el sur de California.

"Después de un tiempo se le ocurrió que podría encontrar petróleo en Pico Canyon, que quedaba a unos once kilómetros de Newhall, así que se dispuso a ir allá. Pero, como no podía hacerlo solo y sin dinero, convenció a algunos amigos que le prestaran algo de dinero. También consiguió que uno de sus amigos, Alex, un muchacho grande y fuerte, fuera con él.

"Ambos se dirigieron hacia el cañón. ¡Y cómo trabajaron! No disponían de máquinas perforadoras modernas como las que hay ahora. Todo había que hacerlo a mano. Pero pudieron hacer un pozo con su propia energía, y después usaron una especie de sistema de roldana para seguir profundizando la excavación.

"Trabajaban duramente, todo el día, bajo un sol ardiente; hasta que, finalmente, después de 30 días, habían llegado a unos 10 metros de profundidad. Es decir, hicieron un promedio de unos 30 centímetros por día. Naturalmente, cuanto más

honda era la excavación más dificultoso les resultaba seguir profundizándola. Imagínate la alegría que sintieron cuando la arena se volvió negra y comenzó a fluir petróleo del pozo. Recogieron dos barriles en dos días.

"Entonces cruzaron el cañón y comenzaron de nuevo. Palada tras palada, hora tras hora, día tras día. Y sin embargo ni por un momento pensaron que era un trabajo aburridor o cansador. Creían firmemente que allí había petróleo, y habían decidido encontrarlo.

"Un mes más tarde tenían un pozo de aproximadamente diez metros. Y fluyó más petróleo, alrededor de dos barriles diarios. Sus esperanzas renacieron. Entonces decidieron comenzar otro pozo. Palada tras palada, pasaron los días, y otra vez estaban a diez metros de profundidad. Pero el petróleo no apareció. El pozo estaba seco. ¡Qué desilusión!

"¿Pero se dieron por vencidos? No. Palada tras palada, volvieron a trabajar a lo largo de días y semanas. ¡Diez metros, veinte metros, cincuenta metros, y todavía no había petróleo! Pero no se dieron por vencidos: sesenta metros, cien metros. ¡Y todavía ni señales de petróleo! Sin embargo, no se dieron por vencidos, y continuaron trabajando.

"Cómo lo hicieron, no lo puedo imaginar —agregó el padre—. Uno no se lo puede imaginar, considerando las herra-

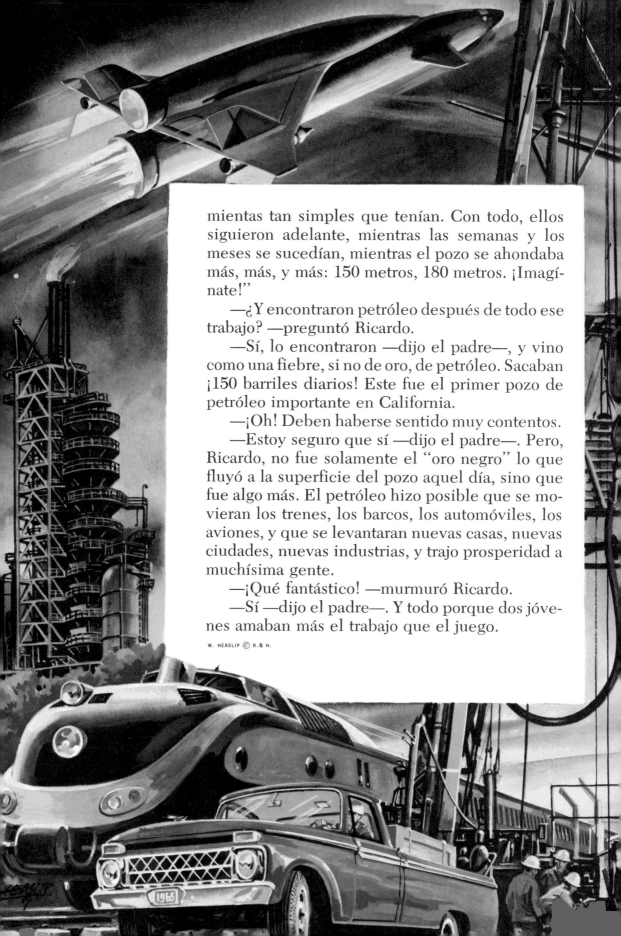

mientas tan simples que tenían. Con todo, ellos siguieron adelante, mientras las semanas y los meses se sucedían, mientras el pozo se ahondaba más, más, y más: 150 metros, 180 metros. ¡Imagínate!''

—¿Y encontraron petróleo después de todo ese trabajo? —preguntó Ricardo.

—Sí, lo encontraron —dijo el padre—, y vino como una fiebre, si no de oro, de petróleo. Sacaban ¡150 barriles diarios! Este fue el primer pozo de petróleo importante en California.

—¡Oh! Deben haberse sentido muy contentos.

—Estoy seguro que sí —dijo el padre—. Pero, Ricardo, no fue solamente el "oro negro" lo que fluyó a la superficie del pozo aquel día, sino que fue algo más. El petróleo hizo posible que se movieran los trenes, los barcos, los automóviles, los aviones, y que se levantaran nuevas casas, nuevas ciudades, nuevas industrias, y trajo prosperidad a muchísima gente.

—¡Qué fantástico! —murmuró Ricardo.

—Sí —dijo el padre—. Y todo porque dos jóvenes amaban más el trabajo que el juego.

W. HEASLIP © R. & H.

Por qué Cristina Cambió de Planes

—OH, MAMA —exclamó Cristina— ¿No es lindo pensar que voy a comprarme de veras un nuevo vestido esta semana?

—Seguramente lo es —concordó la mamá.

—Creo que voy a elegir uno verde —dijo Cristina con mucho entusiasmo—. Luego me compraré zapatos y medias blancas. Me van a quedar muy bien con el vestido nuevo.

—Sí —aprobó la mamá—. Y te lo mereces, querida. Te has portado bien, has trabajado arduamente y ahorrado todo centavo que recibiste. ¿Cuándo quieres que salgamos de compras?

—En cuanto podamos —dijo Cristina—. ¿Podríamos ir mañana de tarde?

—Creo que sí. ¿Cuánto dinero tienes?

—Treinta dólares —dijo Cristina abriendo la cartera y contando sus preciosos ahorros por vigésima vez.

—¡Qué bien! —exclamó la madre—. Creo que has hecho muy bien, querida, en trabajar y ahorrar tanto. Ahora podrás tener el vestido que deseabas desde hace tanto tiempo.

—Espero que encuentre uno bonito —dijo Cristina ansiosamente—. ¿No te parece que sería lindo uno verde pálido con algunas flores?

—Sí, puede ser muy bonito —repuso la mamá—. De todas
maneras, vamos a tratar de encontrar el más hermoso del
lugar.

Cristina apenas podía esperar el momento de ir al pueblo,
el cual finalmente llegó. Madre e hija tomaron el ómnibus, y
se fueron.

Mientras el vehículo paraba aquí y allá en su recorrido,
Cristina notó que había grandes carteles en colores. En ellos
se mostraba a dos niños harapientos, uno de ellos con una
muleta porque había perdido una pierna. Arriba, en grandes
letras, se leía: "Ayude a la Cruz Roja a ayudar a otros".

—¿Qué quiere decir ese cartel? —preguntó Cristina.

—Debe ser el día de la Cruz Roja hoy —fue la respuesta de
la mamá—. Me había olvidado.

—Pero la figura... —dijo Cristina—. ¿Por qué están esos
niños pobres?

—¡Oh! —respondió la mamá—, esos pobres niños repre-
sentan a todos los niños que están sufriendo a causa de las
guerras, los terremotos y otros desastres alrededor del mundo.
Millones de ellos han perdido a sus padres y a sus madres, y,
bueno... todo. Es muy triste, muy triste. Ahora hay gente

96 buena que está tratando de ayudarlos, y hace lo posible para que todos ayudemos.

—¿Y esos niños no tienen comida ni ropa apropiada? —preguntó Cristina.

—Muchos de ellos morirían de hambre o se congelarían por falta de abrigo si no fuera por la Cruz Roja y otras agencias que los ayudan.

—Supongo que nosotros debiéramos ayudarlos también —comentó Cristina.

—Oh, sí, naturalmente que lo haremos —dijo la mamá—. Pero, aquí es donde debemos bajarnos. La tienda adonde quiero ir está justamente pocos metros más adelante.

Se bajaron del ómnibus y se apresuraron a llegar a la tienda.

—Mira, mamá. Aquí están esos carteles otra vez —notó Cristina mientras se detenía un momento para ver de cerca a los niños harapientos, especialmente al de muletas.

—Sí, están por todas partes —asintió la mamá—. Bueno, ya hemos llegado. Mira, ¿qué te parece ese vestido verde de la vitrina?

—Está bonito —dijo Cristina— pero no es exactamente lo que yo quiero. Vayamos adentro y miremos algunos otros.

Entonces se dirigieron al ascensor.

—Hasta aquí han puesto esos carteles, mamá —observó Cristina mientras subían al cuarto piso.

—Sí —comentó la mamá—. Creo que esa gente va a recibir mucho dinero de ayuda para esos niños pobres hoy.

Ahora estaban en la sección de niñas y la vendedora les trajo todos los vestidos verdes que tenían. Cristina los miró con atención, disfrutando al observar cada uno de ellos. Pero no sabía cuál elegir, pues todos ellos eran muy bonitos. Finalmente encontró uno que parecía casi perfecto. Era del color que buscaba y de su talla, y el precio era conveniente. Pero algo le impedía decir que sí. Algo la hacía dudar. No sabía qué era. ¿Podrían ser los ojos de esos niños pobres que la miraban desde ese cartel de la Cruz Roja? De todos modos, no podía olvidar la mirada triste de ambos.

—Mamá —dijo finalmente— no creo que puedo decidir ahora. Dejémoslo para más adelante y veamos en otra parte.

—No creo que encuentres un vestido mejor —advirtió la mamá—; pero tú haces la decisión. Es tu dinero.

La vendedora le prometió apartar el vestido por una hora o dos, y ellas se fueron.

—No entiendo, Cristina —le dijo la mamá—; ese vestido era exactamente lo que querías.

Pero Cristina no parecía escucharla. En cambio, se acercó a la señora de la Cruz Roja, que estaba uniformada, al lado del cartel grande de los niños pobres.

—¿Ustedes necesitan mucho dinero para esos niños pobres? —preguntó Cristina.

—Sí, querida —dijo la señora—, lo necesitamos. Hay millones de niños en todo el mundo que pasan hambre y no tienen ropa, y estamos tratando de ayudarles tanto como podemos.

—Si a usted le parece bien, le doy el dinero de mi vestido, —sugirió Cristina—. Yo tengo muchos vestidos, y realmente no necesito uno nuevo. Además, puedo empezar a ahorrar otra vez.

Y diciendo esto, Cristina abrió su cartera, sacó sus preciosos dólares y se los dio a la señora.

—Muchas gracias, querida —sonrió la señora—. Dios te bendiga.

Cristina se preguntaba por qué había lágrimas en los ojos de la señora. Entonces miró a su mamá y también vio lágrimas en los ojos de ella.

—Ahora podemos volvernos a casa, ¿verdad, mamá? —propuso Cristina.

—Cristina —dijo la mamá—, tú eres la niña más extraña y más querida del mundo. Tratemos de tomar el próximo ómnibus.

Cristina entregó el dinero que tenía para su nuevo vestido a la señora de la Cruz Roja.

W. DOLWICK © R. & H.

21

¡Esa Laguna Otra Vez!

EN EL jardín de la casa de Eduardo había una hermosa laguna completa, con nenúfares, peces dorados y un puente. Ah, sí, y una caída de agua también; es decir que se producía cuando el papá abría la llave del agua para que las visitas la vieran.

Serpenteando por entre arbolitos enanos y arbustos, la laguna hacía que esta parte del jardín fuera de veras muy bonita; y era tan inocente su apariencia que un extraño nunca hubiera sospechado que los niños y niñas podrían meterse en dificultades allí.

No era que hubiera probabilidades de ahogarse en ella, porque tenía sólo unos treinta centímetros de profundidad.

Pero, fuera de ahogarse, hay otros percances que les pueden suceder a las personas en las lagunas.

De hecho, tantas cosas habían sucedido en esta particular laguna, que la madre había establecido la ley de que los niños no jugaran cerca de allí sin su permiso.

—No —dijo esa mañana—; es inútil rogar, Eduardo. Tú no puedes jugar en la laguna hoy. Apenas acaba de secarse tu ropa de la última vez que te caíste en ella. Además, ¿sabías que la señora Morales viene hoy con María?

—¿Viene María hoy?

—Sí, viene hoy —respondió la madre suspirando.

—¡Qué bueno! —exclamó Eduardo—. Podremos divertirnos entonces.

—Pero no en la laguna —previno la madre—, porque tendrás puesta tu ropa de salir. Así que tú y Rosita manténganse alejados de la laguna. ¿Entiendes?

—Está bien, mamá —aceptó Eduardo.

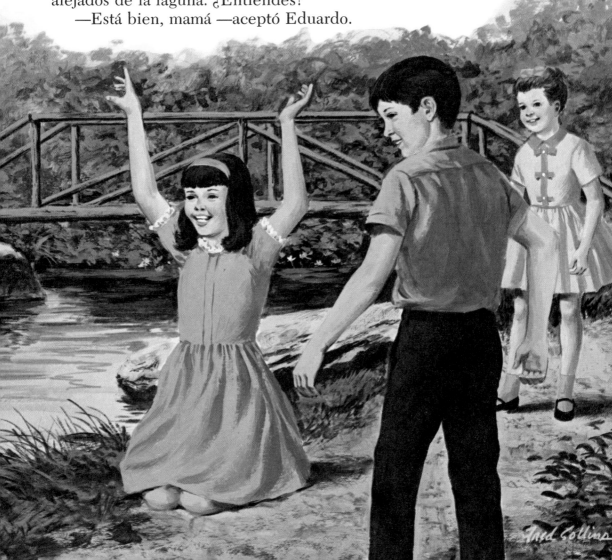

Y la pequeña Rosita le hizo eco en su media lengua:

—'Tá, bien.

Pero no todo "estaba bien", aun cuando Eduardo y Rosita dijeron que sí estaba. Porque María era una niñita muy vivaracha, y tan pronto como llegó gritó con alegría:

—¡Oh, qué linda laguna! ¡Eduardo, juguemos allí!

El barco de vela de Eduardo estaba anclado en una de las pequeñas bahías, y María se lanzó a través del jardín hacia él. Eduardo la siguió, con Rosita detrás, ambos muy bien vestidos en honor de la señora Morales.

Cuando llegaron a la laguna, María ya se hallaba arrodillada, extendiendo la mano hacia el bote. Ella quería empujarlo para hacerlo navegar.

—¡Qué hermoso bote! —exclamó—. Juguemos con él.

—Yo te lo voy a alcanzar —se ofreció Eduardo, tomando un palo y olvidándose completamente de lo que la madre había dicho apenas un ratito antes.

—No te molestes —dijo María—. Yo lo puedo alcanzar.

Eduardo vio, y mucho más de lo que esperaba. Porque María, esforzándose por alcanzar el bote, perdió el equilibrio y cayó de plano dentro del agua sucia y verdosa.

¡Plash!

Se fue derecho al agua, con sus lindos zapatos nuevos, su bonito vestido nuevo y sus bucles negros. Por supuesto, no quedó allí mucho tiempo; pero sí lo suficiente para convertirse en un terrible desastre. Entonces Eduardo, estirándose para ayudarla a salir, se cayó también.

¡Qué espectáculo ofrecían los dos mientras se dirigían hacia la casa, con el agua chorreando del pelo, de la ropa y de los zapatos!

¡Y si ustedes hubieran podido ver la cara de la mamá cuando los vio venir! ¡Eso también fue un espectáculo! Decía muchas cosas a la vez.

Entonces llegó el momento de desvestirlos, que era casi como pelarlos, porque ambos estaban tan mojados que la ropa se les pegaba a la piel como la cáscara a la naranja. Cuando se quitaron la ropa, tuvieron que ser lavados y secados, mientras la mamá se apresuraba a buscar por todos lados alguna otra cosa para ponerles. Al hallarse en medio de todo esto, allá lejos, en el jardín, se oyó que alguien gritaba.

Y cuando todos salieron precipitadamente de la casa para averiguar qué ocurría, ¡vieron la figura de una niña que trataba de alcanzar la orilla de la laguna! Era Rosita. Poco quedaba de su lindo peinado y de su bonito vestido nuevo. Había estado procurando arrancar un nenúfar y había encontrado la misma triste suerte de María.

Exactamente qué parecía decir la cara de la mamá en este momento, nadie podría describirlo, pero imagínenselo...

Y cuando la señora Morales y María se habían ido a su casa —María con algunas viejas ropas de Eduardo— ¡la mamá transformó sus intenciones en palabra y en acción!

—Cuando digo "Manténganse lejos de la laguna" —les recordó la madre, mientras sacudía su dedo— quiero decir "Manténganse lejos de la laguna", no importa quiénes vengan a verlos, ni qué les digan.

Por alguna razón que ustedes podrán adivinar, Eduardo y Rosita jamás volvieron a desobedecer a su mamá, por lo menos en lo que respecta a la laguna.

22

Salvados de una Inundación

LA NOCHE había caído. Todos en el pequeño pueblecito estaban dormidos. Todos, excepto el policía, que estaba haciendo su guardia en la estación de policía.

Nadie ni siquiera soñaba que el peligro era inminente. Ningún problema serio había habido en el pueblo desde hacía años. Tampoco ahora había indicios de dificultades, excepto que el nivel del agua del río estaba un poco más alto que el normal. Muchas veces el agua subía, y luego bajaba, sin que nadie se diera cuenta. En ocasiones, especialmente en un verano seco, el río se convertía en un pequeño arroyo, allá en el fondo de un gran barranco.

Era completamente de noche. No se oía ningún ruido, fuera del que producía la lluvia al golpetear contra los techos y los caminos, y el ladrido ocasional de algún perro.

De repente el teléfono sonó agudo, estridente, en la estación de policía.

Un poco extrañado, el agente tomó el receptor.

—¡Diga! —respondió.

Las palabras que vinieron desde el teléfono lo dejaron estupefacto.

—Hay amenazas de inundación —dijo la voz—. Una gran corriente de agua viene hacia donde están ustedes. Llegare-

105

mos allí dentro de 30 minutos. Saque a la gente de las casas que están en la zona baja. No hay tiempo que perder. Apresúrese.

¡Una inundación! ¡Dentro de sólo 30 minutos! ¡Qué poco tiempo para avisar a toda la gente dormida! ¡Cuán rápido había que trabajar!

El policía hizo sonar la sirena de alarma, y al instante todo el pueblo se hallaba despierto, presa de pánico. Pocos minutos después algunos hombres se dirigieron hacia las casas que quedaban en la orilla, junto al río, para despertar a sus habitantes y ayudarles a colocar sus pertenencias en un lugar más alto. No había tiempo de salvar mucho.

Algunos, todavía medio dormidos, no querían moverse, especialmente en una noche tan oscura y en medio de una lluvia torrencial. No creían que el peligro de la inundación fuera inminente. Pero los policías, los bomberos y algunos amigos los convencieron de que salieran a un lugar más seguro.

Apenas hubieron evacuado las viviendas, cuando llegó. Era cerca de la una de la mañana cuando una gran masa de agua, llena de árboles desarraigados, restos de casas, camas, sillas, pianos, tambores y hasta automóviles corrió desaforadamente. Y golpeó con tanta fuerza contra el puente que había en medio del pueblo, que lo llevó lejos como si hubiera sido hecho de papel. Rebasó las barrancas y anegó los terrenos bajos. Algunas de las casas en que la gente había estado minutos antes fueron levantadas de sus fundamentos y llevadas como botes corriente abajo.

Para entonces cientos de personas permanecían en la orilla más alta del río, tratando de ver a través de la oscuridad la terrible escena. ¡Cuánto se alegraban de que nadie estaba en esas casas que habían sido deshechas y llevadas por la inundación!

¿Nadie?

—¡Miren! —gritó alguien, indicando con su dedo hacia el
lugar donde las aguas parecían más turbulentas—. ¡Parece
que hay una luz! ¡Allí! ¡Miren!

—No puede ser —dijeron otros—. No hay nadie allí, ni hay
ninguna luz.

—¡Pero está otra vez! ¡Miren! Debe ser una vela. ¡Alguien
trata de mantener la luz prendida y el viento se la apaga!

—¡Sí, es verdad! Usted tiene razón. ¿De quién es esa casa?

—Es la de la señora Ortega. Su esposo está en el ejército, y
ella tiene cuatro hijitos. ¿Nadie les ha avisado a ellos?

No, nadie lo había hecho. De alguna manera, en la oscuridad y la nerviosidad, habían omitido esa casa. Ahora estaba
rodeada de una corriente de agua que avanzaba furiosamente
y amenazaba a llevársela en cualquier momento.

—¡Denme una cuerda! —gritó un hombre valiente—. Voy
a nadar hasta allí.

Ataron una cuerda alrededor de su cintura y él se lanzó al
agua. Pero no pudo acercarse por nada. La fuerza de la corriente lo llevaba lejos, y sólo con gran dificultad pudo volver
a la orilla. Otro hombre se ofreció a ir, pero tampoco pudo
llegar. Un tercer hombre trató de hacer lo mismo, pero, exhausto, tuvo que darse por vencido.

Mientras tanto, allí, en la oscuridad una valiente madre
estaba tratando de hacer todo lo que podía para salvar a sus
niños.

Como nadie le había advertido acerca de la inundación,
ella y sus niños se hallaban dormidos cuando el primer gran

volumen de agua entró estrepitosamente por la casa. Despertada por los gritos y el rugido de la corriente, ella saltó de la cama, para encontrarse en un piso que ya tenía más de medio metro de agua, y que se estaba inundando cada vez más. De inmediato se dio cuenta de lo que sucedía, tomó a los cuatro niños y los puso, uno por uno, en la parte de arriba de un gran armario. Pero ya las aguas habían llegado hasta las camas, las mesas, las sillas, y ella tuvo que subirse ahora sobre el armario. Pero, antes de hacerlo, tomó rápidamente una vela y fósforos, una frazada seca, una botella de leche, un cuchillo, un viejo formón, y una plancha.

Ahora estaban todos arriba del armario abrazándose, a la vez que se preguntaban cuánto más subiría el agua. Fue en ese momento cuando esta querida y valiente madre comenzó a orar para que, si era su voluntad, Dios salvara su vida y la de sus niños, y si no, que les permitiera morir a todos juntos.

Pasó una hora. Pasaron dos horas. Y ahora eran las tres de la mañana. Podían sentir que el agua se acercaba a la parte más alta del armario. De repente una de las paredes de adentro de la casa no resistió más y cayó, haciendo un gran estruendo y salpicándolo todo.

—"Nuestro fin debe estar muy cercano" —se dijo la valiente madre. Pero no se dio por vencida todavía.

Ahora ella iba a utilizar las herramientas que tan sabiamente había traído consigo, pensando que tal vez las pudiera necesitar.

Justo encima de su cabeza, estaba el cielo raso hecho de tablas delgadas. "Si solamente pudiera abrir un hueco —se dijo a sí misma—, podríamos subir al cielo raso. Y entonces estaríamos a más de medio metro del agua".

Tomando la plancha y el romo cincel comenzó a hacer un hueco en el cielo raso.

A través de este pequeño agujero empujó a sus hijos uno por uno, diciéndoles que se sentaran "a caballo" de la viga principal. Tenía temor de que, si se quedaban de pie, se caerían por entre las viejas tablas. Entonces ella misma, aunque con dificultad, pasó por el agujero y se sentó con ellos,

La Sra. Ortega rápidamente levantó a sus cuatro hijos y los colocó, uno por uno, encima del gran armario.
H. ANDERSON © R. & H.

esperando, y preguntándose qué más hacer, y orando, mientras abajo las aguas corrían impetuosamente por toda la casa.

Eran las cuatro. Luego, las cinco; luego, las seis. Se estaba haciendo claro ahora. ¡Y qué escena! El gran torrente pardo todavía seguía corriendo, con restos de casas que se habían venido abajo y muebles que flotaban en su superficie.

Cientos de personas que habían estado observando durante toda la noche, concentraban su mirada ansiosa en la casita que todavía se mantenía en pie en medio de la corriente. Se le podía ver solamente el techo y la parte superior de las ventanas. Seguramente todos sus habitantes se habrían ahogado hacía tiempo.

¡Pero no! Cuando miraron mejor vieron que alguien estaba abriendo un agujero en el techo.

Es que la valiente madrecita está haciendo un último intento para salvar a sus niños. ¡Parece que va a ponerlos arriba en el techo! La multitud dio un grito y las lágrimas de muchos brotaron de los ojos. Pero la pequeña familia todavía se hallaba en peligro. En cualquier momento la casa podía desmoronarse ante la enorme presión de la corriente.

—Déjenme probar otra vez —se atrevió un fuerte nadador—. Creo que podré lograrlo ahora.

Le ataron una soga alrededor de la cintura y lo dejaron ir a través de las enfurecidas aguas. La corriente lo llevaba de un lado a otro, pero él luchó para recobrar su posición. Finalmente, después de un extraordinario esfuerzo, logró llegar hasta la casa. Otro grito salió de la gente que ansiosamente observaba desde la orilla:

—¡Ha llegado a tiempo! Quizá la familia se salve.

Y ahora, atando la cuerda fuertemente, entra a la casa a través de una de las ventanas. El gran armario, en el cual la familia había estado esperando por tanto tiempo, se ha ido. El hombre hace señales de que se le mande una escalera. Otro nadador, ayudado también por una cuerda, se la acerca. Y otro nadador lo sigue. Pronto uno de ellos parece venir de la casa con una niñita en sus hombros.

Otro gran grito de la multitud rasga el aire de la mañana, y

otro, hasta que uno por uno los niños son traídos entre los
fuertes brazos de los nadadores que se auxilian con la soga, la
cual apenas resiste el empuje del enfurecido torrente.

Entonces, como los valientes capitanes que quedan hasta
el último momento en el barco que se hunde, la amante madre
es la última en abandonar su casa. Cuando sus cuatro hijos han
sido llevados a un lugar seguro, ella emerge de allí y, con la
ayuda de los rescatadores, se dirige a tierra firme. ¡Qué grito
el de la gente al verla! Pero ella bien lo merece. ¡Qué madre
más valiente!

Estoy seguro de que sus hijos jamás olvidarán cómo fueron
salvados de una muerte segura aquella noche terrible. La fe
de una madre valiente y abnegada había triunfado sobre la
inundación.

La Victoria
de María Elena

MARIA Elena era puro movimiento y siempre hacía alguna travesura. Era una de esas niñas muy vivarachas que hacen cansar a la mamá y que le dan dolores de cabeza al papá.

Una tarde María Elena había estado más traviesa que de costumbre, y cuando era momento de ir a dormir, nadie estaba más contenta que su mamá.

—¡Por fin! —suspiró la mamá, mientras subía la escalera para arrebujar a María Elena en su cama y desearle las buenas noches—. Tal vez pueda tener un poco de paz ahora —pensó.

La mamá se fue al comedor, que ahora estaba tranquilo. Sintiéndose cansada, decidió recostarse en el sofá por un momento para descansar. Gradualmente se fue durmiendo. Entonces, antes de que sus ojos estuvieran totalmente cerrados, comenzó a suceder algo.

Muy, pero muy suavemente, la puerta del comedor comenzó a abrirse. Un poquito, y un poquito más...

"¿Qué podrá ser? —se preguntó la mamá, atemorizada—. ¿Será que un ladrón ha entrado a la casa?"

Entonces, ¿qué creen ustedes que pasó? De detrás de la puerta apareció la figura de una niña de vestido largo. Sí, era María Elena en su camisón.

La mamá no se movió ni pronunció palabra, sino que simuló estar durmiendo. Pero estaba observando.

María Elena, en puntas de pie, se dirigió hacia la mesa. En el centro de la mesa había una gran fuente de manzanas, naranjas y nueces, y encima de todo, un racimo de uvas. María Elena había estado mirando y codiciando ese hermoso racimo de uvas durante todo el día. Ahora extendió la mano, tomó las uvas y, en puntas de pie, se dirigió hacia su pieza, cerrando cuidadosamente la puerta detrás de sí.

Naturalmente ella pensaba que nadie la había visto. Pero la mamá, como sucedía generalmente, lo había visto todo. ¡Las madres siempre lo ven todo!

La mamá se puso triste. "¿Será posible que mi pequeña María Elena haga cosas como éstas? —se dijo a sí misma—. ¿Qué ella haya esperado hasta que creyó que yo no estaba despierta para robar ese racimo de uvas? ¡Oh! ¿Qué debo hacer? ¿Qué debo decirle?"

Entonces, precisamente cuando la madre se estaba sintiendo triste por la situación, la puerta del comedor comenzó a abrirse suave, pero muy suavemente. Y apareció la misma

pequeña figura de vestido largo. Era María Elena otra vez, en su camisón, y teniendo todavía el racimo de uvas en su mano.

En puntas de pie se acercó a la mesa, y colocó el racimo exactamente en el mismo lugar en que lo había encontrado. Entonces, con voz fuerte, dijo:

—Y ahora, váyase de aquí, señor Satanás.

Luego, dándose vuelta, se dirigió hacia la puerta. Pero antes de que llegara a su recámara, la mamá la alcanzó y la abrazó.

—¡Oh, querida —exclamó—, me alegro tanto por tu victoria sobre la tentación!

¡Y qué momentos pasaron las dos entonces!

Me gusta dejar volar la imaginación y figurarme qué fue lo que ocurrió en la escalera aquella noche. Durante todo el camino la voz del tentador le había dicho:

—Anda, María Elena; las uvas son muy ricas. Toma una. Nada te va a pasar. Tu mamá nunca lo descubrirá.

Al mismo tiempo, otra voz interior le diría:

—No, María Elena. Eso sería robar. Eso sería pecar. A tu mamá no le gustaría eso. Sé una buena niñita y coloca las uvas en su lugar. Ponlas donde las encontraste.

En algún peldaño de la escalera se ganó la victoria. Y después de esto, todo se convirtió en felicidad, como siempre sucede cuando obtenemos la victoria sobre la tentación.

Cada muchacho y cada niña es tentado en un momento u otro a hacer el mal. A veces la tentación es muy fuerte, y uno se pregunta cuál de dos opiniones, es la correcta. Pero si tú escuchas aquella vocecita que te habla al corazón, la voz de la conciencia, no te equivocarás. Jesús te dará la victoria si le pides su ayuda.

24

Walter
y los Lobos

WALTER estaba tan entusiasmado como lo podía estar un muchacho de su edad. El papá iba a salir a acampar y le había dicho que Walter podía acompañarlo. A él siempre le gustaba mucho salir de viaje con su papá. Pero ir a algún lugar por una semana entera, ¡eso más parecía un sueño que una realidad! Además, iban a dormir en una carpa y cocinar su propia comida en un fuego que harían afuera.

Los días siguientes los pasaron preparando las cosas para el viaje: la carpa, las camas, las cosas para la cocina, la linterna y demás. Mientras la pila iba creciendo en el garaje, Walter tenía ganas de gritar de alegría. ¡Iba a salir a acampar en las montañas con su papá!

Finalmente llegó el gran día. Eran cuatro: el papá, dos de sus amigos y Walter. Pusieron algunas de las cosas en el baúl o cajuela del automóvil y el resto lo llevaban arriba del techo.

Y empezaron a ascender la montaña, arriba, arriba, por un camino lleno de curvas, a través de un gran bosque de pinos, hasta que finalmente llegaron a un lugar muy alto, donde se detuvieron. De vez en cuando, cuando miraban hacia abajo, veían hermosos paisajes: lagos, ríos, bosques, valles, precipicios, en toda una hermosa variedad de colores. Continuaron andando, y finalmente llegaron a un hermoso lago escondido

entre las montañas. Este era el lugar que habían estado buscando. Pero el sitio mejor para el campamento se hallaba del otro lado del lago adonde no podían llegar en automóvil. Así que anduvieron en coche tan lejos como pudieron, luego descargaron las cosas y las llevaron caminando hasta el lugar donde querían acampar. Por último levantaron la carpa y encendieron un fuego para preparar la cena.

Walter estaba encantado. Todo era tan diferente y tan maravilloso. Nunca había visto nada así. La quietud del lago, la puesta del sol tras los grandes picos de las montañas, los sonidos distantes de los animales salvajes... todo era tan bello, algo casi irreal.

—¿Qué fue eso? —le preguntó de pronto al papá—. Parece como ladridos de perros.

—Oh, son los lobos —dijo el papá—. Hay muchos allá en la montaña, pero no nos molestarán. Están bien lejos.

Walter trató de no pensar más en los lobos, pero una y otra vez se le vino el mismo pensamiento. "Deben estar bastante lejos, —se dijo a sí mismo cuando se fue a dormir aquella noche—. Pero podrían venir más cerca... Por fortuna, su papá y sus amigos estaban todos en la misma carpa, así que, ¿para qué preocuparse? Y con este pensamiento se durmió tranquilo.

El día siguiente todos se levantaron temprano y se dirigieron hacia la parte arbolada del lago.

¡Cómo se divirtieron! Walter nunca había disfrutado tanto antes. Hubiera querido quedarse en las montañas por el resto de su vida.

Finalmente llegó el día cuando debían irse. Bajaron la carpa y empaquetaron todas las cosas.

El papá y sus amigos tomaron el equipaje y se dirigieron de regreso hacia el automóvil, con Walter caminando a su lado.

De pronto el papá se detuvo.

—No veo por qué debamos acarrear todas estas cosas alrededor del lago. Vayamos cortando camino a través del pantano. Pero como es demasiado profundo para Walter, nosotros los grandes cargaremos el auto, y Walter podrá ir alrededor del pantano y reunirse con nosotros del otro lado. ¿Está bien?

—Sí —dijo Walter—, y verán que llego antes que ustedes.

Los hombres se rieron, porque sabían que no podía ser.

Walter tomó un camino que lo llevaría a través de lugares salvajes. No le importaba ir solo, ciertamente, pero no le gustaba ese aullido continuo de los lobos. De algún modo parecía que estaban más cerca de lo que el papá le había dicho que estaban.

Determinado a llegar al automóvil antes que los otros, apresuró la marcha. Abriéndose paso a través de los arbustos y subiendo sobre las rocas, llegó al final del lago y comenzó a andar del otro lado. De repente vio algo que lo dejó frío. Corriendo hacia él, desde la montaña, venía ¡una jauría de lobos! Walter, asustado como estaba, los contó: ¡Eran diecisiete, y muy grandes!

Al verlos, a Walter casi se le detiene el corazón.

Había una gran roca cerca, y trató de encaramarse en ella para ponerse a salvo. Pero no pudo hacer pie y se resbaló varias veces. ¡Y ellos estaban cada vez más cerca...!

Yo no sé si los lobos venían persiguiendo a Walter o no, pero sí sé que él lo pensó así.

Entonces cerró los ojos y oró: "¡Querido Jesús, no permitas que los lobos me hagan daño. Aléjalos de mí!"

Los diecisiete lobos se acercaron a unos tres metros de distancia. El podía verles los ojos y hasta las gargantas, pues tenían las bocas abiertas.

Entonces sucedió algo interesante.

—Repentinamente —me contó Walter más tarde—, aquellos lobos cambiaron de dirección y se dirigieron hacia la montaña. Yo no sé qué fue lo que los hizo actuar así. ¿Será que vieron el resplandor de mi ángel guardián?

—Yo no puedo decir que no —repliqué.

Cuando los lobos se fueron, Walter prosiguió su camino, y pronto estuvo en el automóvil con su papá y sus amigos que lo estaban esperando ansiosamente.

—¿Qué te detuvo tanto tiempo? —le preguntaron—. ¿Por qué tardaste tanto?

Entonces él les contó todo lo que había sucedido:

—Jesús oyó mi oración justo a tiempo —les dijo al terminar de contar su aventura.

H. BAERG

25

Iván
el Impaciente

A IVAN siempre le resultaba difícil esperar. Quería su desayuno tan pronto como se levantaba. Quería comer no bien volvía de la escuela. Y siempre se disgustaba si alguien lo hacía esperar para lo que fuera.

Cuando se acercaba su cumpleaños, o la Navidad, y pensaba que podía recibir tal vez algún presente que había estado deseando por mucho tiempo, bueno, pasaba por una verdadera agonía. Los días se le hacían semanas, y las semanas, años. Vez tras vez iba a donde estaba su madre o su padre y decía: "¿Cuánto más tengo que esperar?" Ellos, mostrándole el calendario, le explicaban que todavía no era la fecha, pero unos minutos después volvía él con la misma pregunta.

Y así sucedió cuando quiso tener una bicicleta nueva. Efectivamente, casi hizo enloquecer a todo el mundo preguntando cuándo la iba a tener. La madre y el padre casi desearon que nunca se la hubieran prometido, por todo el alboroto que hizo.

Despúes de lo que le pareció a Iván toda una vida, llegó finalmente la bicicleta. Por un momento, estuvo contento. Admiró el brillante color rojo del cuadro de la bicicleta, y sus partes cromadas que relucían como plata. Impaciente por probarla, se montó en ella y comenzó a andar a toda velocidad

por la calle. Ida y vuelta, ida y vuelta nuevamente, andando cada vez más rápido, hasta quedar exhausto.

A la mañana siguiente, antes de que ninguno se despertara, quiso andar de nuevo en bicicleta. ¡Imagínense su disgusto cuando descubrió que la rueda delantera estaba desinflada!

Desesperado buscó un inflador, pero no lo encontró.

—¿Dónde está el inflador? —gritó—. ¿Dónde está el inflador? Quiero inflar la rueda de mi bicicleta.

El papá, asomando la cabeza desde su dormitorio, preguntó:

—¿Por qué toda esa bulla?

—Mi rueda delantera está desinflada —gritó Iván, enojado, como si su padre tuviera la culpa de lo que había pasado.

—Supónte que lo está —dijo el papá—, pero ésa no es razón para despertar a todo el mundo a esta hora tan inoportuna.

—¡Pero yo quiero el inflador! —gritó Iván—. Y lo quiero ahora mismo, porque quiero andar en bicicleta.

—El inflador está roto —dijo el papá.

—Entonces ¿qué puedo hacer? Necesito un inflador. Quiero andar en bicicleta.

—No hay inflador —replicó el papá firmemente—. Me temo que tengas que esperar o que tengas que ir caminando hasta la gasolinera y pedirle al hombre que te infle la rueda. Y ahora —añadió, cerrando la puerta —déjanos tener un poco de paz y tranquilidad.

—¡Caminar hasta la estación! —murmuró Iván para sí—. Eso me llevará por lo menos quince minutos. ¿Por qué no habrá un inflador cuando uno lo necesita?

Pero de nada valía irritarse porque el padre había desaparecido y la casa estaba en silencio otra vez. Si él quería andar en bicicleta temprano por la mañana, tendría que caminar hasta la estación de servicio. Y decidió hacerlo.

No le gustó nada la caminata. Odiaba tener que empujar su nueva bicicleta durante todo el trayecto. Además, le parecía que era una pérdida de tiempo innecesaria. Cuando por fin llegó a la gasolinera, no estaba precisamente del mejor humor, como ustedes pueden imaginarse.

—¡Hola! —dijo para llamar la atención del empleado—. Quiero inflar la rueda de mi bicicleta.

—Tendrás que esperar un momento, muchacho —dijo el hombre—. Tengo que atender primero a un cliente. Estaré contigo tan pronto como pueda.

¡Esperar un minuto! El no podía hacer eso. Además, ya había perdido quince minutos. ¿Por qué ese hombre no viene

en seguida cuando uno lo llama? ¿Por qué no deja a su cliente
y hace el trabajo que se le pide? ¡Decirle tan luego a él que
esperara un minuto!

—Lo haré yo mismo —dijo—. Yo no quiero "esperar un
minuto" ni por él ni por nadie.

E Iván se apresuró a ir al lugar donde estaba la bomba de
aire.

—Es mejor que me esperes —propuso el empleado—.
Acabo de conseguir este nuevo manómetro y no creo que
registre bien. No tardaré más de un minuto.

—¡No más de un minuto! —exclamó Iván irónicamente—.
Ya he estado esperándolo cinco minutos. Yo no lo voy a esperar más. Puedo hacerlo yo mismo.

—Está bien —aceptó el hombre—. Hazlo tú.

Iván oprimió la palanca y comenzó a sentir el ruido del
aire que entraba con presión en la llanta.

—¡Qué fácil! —se dijo a sí mismo—. Me alegro de que no
tenga que esperar a esa tortuga.

Los números que se movían en el manómetro lo fascina-
ron. Rápidamente la presión aumentó. 20 libras. 30 libras. 40
libras. 50 libras. 60 libras.

Si no hubiera estado tan apurado, se hubiera dado cuenta

126 de que la rueda estaba muy dura. Y si hubiera tenido un poco de sentido común, habría pensado que una rueda de bicicleta no puede soportar demasiada presión.

Pero él continuó apretando la palanca. 70 libras. 80 libras. ¡90 libras!

De pronto hubo una gran explosión. Fue como un cañonazo. Iván se quedó desconcertado al ver rueda y llanta volando en mil pedazos.

¡Pobre Iván! Estaba furioso, pero no sabía a quién echarle la culpa, porque él la tenía. Con lágrimas en los ojos se fue por la calle empujando la bicicleta y preguntándose que diría su papá cuando lo viera llegar.

El empleado, que fue el que me contó esta historia, dijo que la llanta estaba totalmente arruinada. No había nada que se pudiera hacer para repararla.

—Y eso que era una rueda nueva —comentó. Y pensar que todo eso ocurrió por la impaciencia de un muchacho.

26

El Extraño Dúo

TAN, tan, tan. Tatán, tan... ¡Eso no tenía fin!

—¿Nadie podrá hacer que esa niña deje de tocar el piano? —preguntó un anciano caballero de cara enrojecida que estaba en el vestíbulo del hotel—. He venido para estar tranquilo y descansar, y todo lo que oigo es ese, tan, tan, tan, todo el santo día.

—¡Esto no debiera permitirse! —dijo otro huésped—. Es una perfecta molestia.

—Yo no sé por qué tienen el piano en la sala de espera del hotel —exclamó un tercero—. Esa música simplemente me está volviendo loco.

—A los niños se les debe enseñar a estar quietos —dijo un cuarto.

—¿Por qué no cierran el piano con llave? —preguntó otro—. Entonces ella no podría tocar.

Hubo una breve pausa y los clientes, molestos, trataron de pensar qué más podrían decir de la niñita que, a sus anchas, estaba disfrutando de la música del piano.

Y mientras permanecían en silencio, resonó otra vez:

Tan, tan, tan. Tatán, tan...

—¡Oh! —exclamó el primer caballero con la cara más roja aún—. No lo puedo soportar. Me voy a quejar al gerente.

127

—Naturalmente —dijeron los otros—. ¿Cómo no lo pensamos antes? Vayamos todos juntos y amenacémosle con irnos del hotel a menos que cierre con llave el piano, o que le prohíba a esa niña tocarlo.

Y acto seguido, los cinco fueron a ver al administrador.

—¿De quién es esa niña que hace tanta bulla con el piano? —gritó airado uno de ellos.

—Mía —dijo el gerente del hotel, humildemente.

—Entonces, ¿por qué no le dice que deje de tocar el piano de una vez? —dijo el hombre—. Nos está haciendo la vida imposible.

—Lo siento —dijo el gerente—. Debí haberle dicho a ella antes, naturalmente. Pero ella no se siente muy bien, y tocar el piano es una de las cosas que parecieran distraerla. Sueña con ser una gran pianista algún día. Sin embargo, estoy de acuerdo en que ella no debe molestar a los clientes. Le diré que no toque más.

Y sin añadir palabra se dirigió al vestíbulo. Los clientes, todavía enfadados, lo siguieron para asegurarse de que iba a cumplir su promesa.

De pronto todos se detuvieron. ¿Por qué? Cuando el gerente abrió la puerta del vestíbulo, provino de allí una música tan bella como ninguno de ellos había escuchado desde hacía mucho tiempo.

Atisbaron por la puerta entreabierta. La niñita todavía estaba sentada al piano. Y todavía estaba tocando su pieza favorita. Pero a su lado había alguien más: un caballero de rostro amable, de cabellera blanca y traje oscuro. Todos lo reconocieron como otro de los huéspedes del hotel, pero nunca habían soñado quién era. Ahora, sentado al lado de la niñita, tocaba magistralmente, y sus majestuosos acordes se fundían con la humilde melodía de la niña y la convertían en una pieza musical bellísima. Luego sus ágiles dedos recorrían el piano hacia abajo, pasando por sobre los de ella, y produciendo una bella y armoniosa música que alegraba el alma con un perfecto gozo.

¡Ese era el modo en que ella quería tocar! ¡Y ésa era la música que ella trataba de

arrancar del piano, en su humilde manera! Con una felicidad indescriptible, ella tocaba su pieza del mejor modo en que podía, y ora por encima, ora entretejida con la gloriosa música del maestro, se podía oír su simple y humilde tonada.

Tan, tan, tan. Tatán, tan, tan. Tan, tan, tan. Tatán, tan, tan...

Los invitados se agolparon en el vestíbulo. Ya no estaban enojados. Si sentían algo, era vergüenza. Reconocieron que mientras habían estado refunfuñando, este otro huésped del hotel, un gran músico, quien podía haber estado realmente ofendido por la pobreza de la manera de tocar de la niña, la había venido a ayudar. Ocultando su gran técnica alrededor de la humilde melodía que la niña tocaba con esfuerzo, había logrado crear una música grandiosa.

¡Cuán a menudo somos como aquella niña! Nuestros mejores esfuerzos para llegar a ser lo que queremos son pobres, y a veces hasta molestan a los demás, y por más empeño que pongamos, solamente recibimos críticas. Sin embargo, Alguien está cerca de nosotros: es el gran Músico, que está esperando sentarse a nuestro lado, para usar su técnica y ayudarnos.

"He aquí, que estoy a la puerta, y llamo", dice.

No a la puerta del vestíbulo del hotel, sino a la puerta de nuestros corazones. Y si permitimos que entre, si le decimos: "Ven, Señor Jesús, ven y ayúdame a tocar de la manera correcta", nuestras pobres notas se fundirán en la gloriosa armonía que él puede producir en nuestras vidas.

Entonces la gente pensará: "¿Qué ha sucedido? ¡Tú estás tan diferente! ¡Has cambiado tanto!" Y todo, porque has estado con Jesús, y has aprendido de él.

Los majestuosos acordes del hombre de cabello cano se fundieron con la humilde melodía de la niña, lo que resultó en una bellísima armonía.

J. B. LOGAN

27

Los Mirlos
Acuden
en su Ayuda

EL SEÑOR Gutiérrez estaba muy contento. Sus plantas de tomate —que ocupaban doce hectáreas— estaban poniéndose grandes. Ya estaban cubiertas de flores, y prometían una buena cosecha.

Mirando su gran campo, anticipó lo mucho que iba a ganar.

—Estos tomates significan por lo menos 10.000 pesos —se dijo—, y espero que no pase nada. Es todo lo que tengo este año.

Pero mientras pensaba en estas cosas, el enemigo se hallaba en camino. Era un ejército, no de hombres, sino de gusanos. Bueno, no eran realmente gusanos, sino orugas, que se movilizaban en enorme cantidad. En poco tiempo lo devorarían todo y dejarían el campo limpio, sin siquiera una brizna verde, con la rapidez de las langostas.

Poco después, mientras el señor Gutiérrez se hallaba caminando por su campo para ver si todo andaba bien, vio orugas en un rincón. Se quedó estupefacto. Sabía, por una triste experiencia anterior, que en cuestión de pocos días invadirían las preciosas plantas de tomate y las devorarían completamente.

132   ¿Qué podría hacer?

Rápidamente se apresuró a ir a la casa y contarle la triste nueva a su esposa.

—¡Ven, mira, el ejército de orugas ya está aquí! —exclamó—. ¡Nuestra cosecha está perdida!

La esposa corrió afuera para ver, y también su corazón pareció detenerse, porque ella también sabía lo que eso significaba.

Todo el dinero de la familia para ese año estaba en juego. La comida, la ropa, el hogar, todo dependía de aquella cosecha de tomates, y ahora este ejército de orugas se estaba comiendo todo delante de sus ojos.

Entonces los niños corrieron para ver y también ellos se preocuparon, porque habían trabajado largas horas ayudando a su padre a preparar la tierra, a colocar las plantas de tomate en cada hoyo, y a regarlas.

—¿Qué vamos a hacer? —preguntó Santiago—. Nunca podremos matarlas a todas.

—No, nunca podremos matarlas a todas —dijo el padre—. Son demasiadas, y pareciera que se multiplicaran a cada minuto.

—Papá —sugirió María— debemos pedirle a Jesús que nos ayude en seguida.

—Tal vez podamos —replicó éste. Pero ¿qué puede hacer él por nosotros en momentos así?

—¿Pero acaso no dice en alguna parte la Biblia algo así como: "Reprenderé también por vosotros al devorador"? ¿Por qué no le pedimos a Dios que cumpla esa promesa? —dijo María.

—Tal vez debamos —dijo el padre—; pero no hay mucha esperanza ahora.

—Voy a ver la Biblia ahora mismo —replicó María.

Y lo hizo. Después de buscar por un momento, encontró un pasaje en el libro de Malaquías que leyó en voz alta:

"Traed todos los diezmos al alfolí y haya alimento en mi casa; y probadme ahora en esto, dice Jehová de los ejércitos, si no os abriré las ventanas de los cielos, y derramaré sobre vosotros bendición hasta que sobreabunde. Reprenderé también por vosotros al devorador, y no os destruirá el fruto de la tierra, ni vuestra vid en el campo será estéril, dice Jehová de los ejércitos" (Malaquías 3: 10-11).

—¡Cumple tu promesa, Señor! —rogaron—. ¡Destruye al devorador! ¡Salva nuestros tomates!

—Aquí está, papá —dijo María, mientras le alcanzaba al padre la Biblia—. Yo sabía que estaba aquí. ¿Ves? Dice que si somos fieles y pagamos nuestros diezmos a Dios, él prenderá al devorador, para salvarnos. Tú pagas el diezmo, papá, así que Dios tiene que cumplir su promesa. A lo mejor está esperando que nosotros se lo pidamos. ¿Por qué no oramos ahora mismo?

De algún modo los otros se contagiaron del espíritu entusiasta de María. Se arrodillaron en el campo de tomates y oraron a Dios como no lo habían hecho antes, invocando la protección del Señor de acuerdo con su promesa.

Primero oró el papá, luego la mamá, luego los hijos. Le dijeron a Dios cómo habían tratado de serle fieles, cómo habían pagado el diezmo honestamente, y cómo querían servirle fielmente durante toda su vida. También le presentaron la terrible cosa que les estaba sucediendo, y cuánto necesitaban de su ayuda.

Cuando terminaron de orar, se pusieron de pie.

Entonces sucedió algo, algo que a ustedes les va a ser difícil de creer, pero que yo sé que es verdad. Yo he visitado ese campo, que queda a menos de 150 kilómetros de mi casa. He hablado con el señor Gutiérrez, con su esposa y sus hijos. Ellos vieron el milagro con sus propios ojos y nunca lo olvidarán en toda su vida.

Apenas habían dejado de orar cuando apareció un mirlo. Entonces vino otro, y otro, y otro más. Docenas de mirlos. Centenares de mirlos. El cielo estaba literalmente negro de mirlos.

Vinieron y se posaron en el campo de tomates y comieron cuanta oruga encontraron. Y cuando levantaron vuelo, como una gran nube negra, y se alejaron, platicando a su manera unos con otros, no había quedado una sola oruga en el campo de tomates.

¡De esa manera Dios cumplió su promesa! Sí, él hasta puede llamar a los mirlos para que vengan a socorrer a sus hijos fieles, así como envió a los cuervos para que alimentaran a Elías.

¡Qué maravilloso es Dios! ¡Qué maravilloso es nuestro Salvador! Confiemos más en él.

28

La Fuente
de la Discordia

DESDE que eran muy pequeños hasta ahora, que estaban bastante crecidos, Arturo e Isabel se habían disputado el placer de limpiar la fuente de la natilla.

A través de los años, vez tras vez se repetía la misma historia.

—Es mi turno limpiarla esta vez.

—No, es el mío.

Y ninguno de los dos podía recordar jamás a quién le tocaba el turno. Generalmente llamaban al papá o a la mamá para decidir. A veces los padres adivinaban bien, y otras, se equivocaban. Muy rara vez los niños quedaban satisfechos. Yo me pregunto por qué Arturo e Isabel no anotaban en un papel quién había limpiado la fuente, y cuándo. Con seguridad se hubieran ahorrado más de un problema.

Había algo especial acerca de esta fuente: durante los últimos treinta años, había formado parte de esta familia inglesa. Todos los hijos mayores, ahora ausentes, habían raspado y lamido esta fuente, y hasta se habían peleado por causa de ella. Tal vez por esto era tan preciosa a los ojos de la madre. Ciertamente la natilla nunca sabía tan sabrosa si no era servida en esta fuente particular. Cuando un día, hacía años, la fuente se había rajado por la leche demasiado caliente, todos

137

se sintieron tristes. Pero de algún modo no se rompió totalmente, a pesar de la rajadura, como si hubiera querido seguir siendo "la fuente de la natilla" de la familia hasta que todos los niños hubieran crecido.

Entonces llegó la Navidad otra vez, y, naturalmente, la mamá había preparado los clásicos postres de Navidad ingleses: natilla y budín de ciruelas. Pero tan pronto como la fuente apareció en la mesa, comenzó la vieja pelea, incluso en la Nochebuena.

—Ahora me toca a mí limpiar la fuente —dijo Arturo.

—No, es *mi* turno, y tú lo sabes bien —replicó Isabel.

—No, *es mío*.

—¿No pueden llegar a un acuerdo sin la riña de todos los días? —preguntó la madre seriamente—. Que no se oiga más nada al respecto, o van a arruinar nuestra cena de Nochebuena.

Así que el asunto fue dejado de lado, y aparentemente olvidado. Pero, a medida que el postre bajaba en la fuente, ya hacia el final de la cena, ambos, Arturo e Isabel, comenzaron a mirar "la fuente de la natilla" con renovado interés.

Ustedes pensarán que estos chicos generalmente despiertos, habiendo comido tan bien en la Nochebuena y estando tan llenos, no tendrían el menor interés en los restos de la natilla de la fuente. Pero es que nadie podría imaginarse el efecto que esa fuente ejercía en particular sobre Arturo e Isabel.

Tan pronto como el padre y la madre se levantaron de la mesa y se dirigieron a la sala, comenzó la discusión otra vez.

—Es mío —afirmó Arturo—, así que no hagas más problema en cuanto a esto.

—Es mío, te lo digo otra vez —replicó Isabel prendiéndose firmemente de la fuente—. Tú sabes muy bien que tú la limpiaste la última vez que tuvimos natilla.

—Yo no.

—Sí, tú la limpiaste.

—Bueno, *yo* la voy a tener esta vez —dijo Arturo, tomando la fuente con una mano mientras sostenía la cuchara con la otra.

—*No*, tú no la tendrás; *yo...* —dijo Isabel, prendiéndose

más fuerte de la fuente y tratando de alcanzar el fondo con su cuchara.

Entonces sucedió..., ¡oh tragedia de las tragedias!, que en la pelea ellos tironearon tan fuerte, cada uno por su lado, que la querida y antigua fuente se quebró en dos.

Arturo e Isabel permanecieron en silencio por un momento cada uno, con una mitad de la fuente en su mano mientras la natilla por la cual estaban peleando caía al suelo como amarillos lagrimones. Estaban tan desconcertados, que no podían hablar. Habían discutido acerca de la fuente muchas, muchísimas veces, pero nunca soñaron que se iba a romper así.

En su angustia sólo atinaron a decir: "Y ahora, ¿qué le decimos a mamá?"

Ustedes podrán adivinar cómo se habrá sentido la mamá. Como es de suponer, se puso muy triste. Verdaderamente, casi arruinaron su Navidad.

—Espero que esto les sirva de lección a los dos —añadió finalmente—. ¿Qué ganaron peleándose por la fuente? Nada. Y hasta desperdiciaron lo último de la natilla. Cuánto mejor hubiera sido si uno de los dos hubiera dicho: "Tú puedes tenerla esta vez". ¡Cuánto más felices hubieran estado ustedes! ¡Y cómo hubieran mostrado el espíritu cristiano del cual tanto hablamos! Y yo no me hubiera quedado sin la fuente de la natilla.

De algún modo el haber roto la querida fuente de la mamá les hizo algún efecto a Arturo e Isabel. No podían quitar de sus mentes la imagen de la fuente rota, ni podían disimular la lástima que sentían porque esa preciosa fuente, que tanto amaba la familia, se había roto.

Desde entonces trataron de ser más amables el uno con el otro. Y yo debo contar esto: cuando llegó el día del cumpleaños de la mamá, ésta se encontró con una gran caja al lado de su plato, que decía: "Con mucho amor, Arturo e Isabel".

Dentro de ella había otra fuente. No igual a la que habían quebrado, naturalmente, porque ésa no podía ser reemplazada; pero una lo más similar posible a "la fuente de la natilla". Al verla, la mamá los abrazó y besó y les dijo que se alegraba mucho que ellos le hubieran conseguido ese lindo regalo. ¡Y no pudo impedir que cayera una lágrima en la nueva fuente!

29

Santiago Trae a su Madre a Cristo

SANTIAGO había estado asistiendo a las reuniones que se celebraban en la carpa todas las noches desde hacía tres o cuatro semanas. Con ello disfrutaba más que con ninguna otra cosa que hubiera conocido, y nada lo podía detener de asistir.

Le gustaba cantar los cantos y también escuchar al predicador, que decía muchas cosas acerca de la Biblia.

Pero una cosa lo entristecía: su madre no quería ir a las reuniones con él. Había tratado vez tras vez de entusiasmarla, pero era inútil. Ella decía que tenía otras cosas que hacer, y a veces se burlaba y le decía que estaba perdiendo el tiempo.

Entonces, una noche en que el predicador invitó a los que deseaban entregar su corazón al Señor Jesús a que pasaran al frente y se pusieran de pie al lado del púlpito, Santiago sintió que el predicador le estaba hablando directamente a él. El había visto antes que muchas personas habían pasado adelante, y se preguntaba por qué. Pero esto era diferente. Este llamado era para él. Esta era *su* noche. De modo que se levantó, se dirigió hacia el frente y permaneció de pie con los otros, mientras el predicador oraba por ellos.

¡Cuánto deseaba que su madre estuviera a su lado, entregando también su corazón al Señor!

Entonces tuvo una idea. Si la madre no venía a escuchar al predicador, tal vez el predicador podría ir a verla. Y decidió pedírselo.

Cuando terminó la reunión, y el predicador saludó al último de los concurrentes, Santiago, acercándosele, le preguntó:

—¿Puedo hablar con usted, señor?

—¡Cómo no! —contestó sonriente el predicador—. ¿Qué es lo que me quieres decir?

—Es mi mamá —dijo—. Yo quiero que ella venga a las reuniones, pero ella no quiere, y piensa que soy un tonto

W. HUTCHINSON

porque vengo. Usted sabe, señor, que mi mamá no es como era antes. Ella no ora más. Nunca lee la Biblia, y en cambio lee historias malas. Hasta a veces dice palabrotas; y a mí no me gusta oírla. Sale mucho de noche, yo no sé adónde. A veces tengo miedo de que esté tomando bebidas alcohólicas. Señor, ¿sabe?, no es como era antes.

—¡Cuánto lo siento! —repuso el predicador. Me pregunto qué podríamos hacer por ella.

—Es por esto que vine a hablarle, señor. ¿Podría usted ir a verla?

—Me gustaría —dijo el predicador—. Pero, Santiago, hay algo que quiero que tú hagas primero.

—Sí. ¿Qué es? ¿Qué puedo hacer?

—Quiero que le digas a tu mamá lo que me has dicho a mí.

—Usted quiere decir que yo le diga...

—Sí, todo. Dile cuánto ha cambiado ella, cuán diferente es, y cuán triste te pone el cambio de ella. Esto puede hacer mucho más de lo que yo pueda decirle.

Santiago lo pensó. ¿Cómo podría hacerlo? ¿Cómo podría decirle a su madre algo así? Pero decidió que trataría de hacerlo.

—Lo haré —resolvió el muchacho.

—¿Puedo aceptar tu palabra como una promesa? —preguntó el predicador—. Yo oraré por ti.

Aquella noche Santiago se quedó levantado más tarde que de costumbre, tratando de encontrar un modo de empezar. ¡Pero le resultaba tan difícil!

Entonces la mamá le dijo:

—¿Por qué no te vas a dormir, Santiago?

—Mamá... —comenzó Santiago.

—¡Vete a dormir!

—Ya voy, mamá —contestó Santiago, pero demorándose aún.

—Bueno, ¿qué te pasa? ¿Por qué no te vas a dormir de una vez?

—Mamá... —dijo Santiago con voz temblorosa, y acercándose a ella—. ¿Qué te pasa? Tú no eres la misma de antes. Nunca oras, nunca me lees la Biblia, ni vas a la iglesia conmigo. Tú...

—Cállate inmediatamente —ordenó la madre—. Y toma,

por atrevido —dándole una bofetada—. Ahora, anda a la cama y no me vuelvas a hablar de estas cosas. Así que, ¡anda!

Santiago, lleno de tristeza, se fue a acostar. Pero por lo menos tenía la satisfacción de haber hecho lo que estaba de su parte, y había cumplido con la promesa hecha al predicador.

Mientras tanto la mamá se sentó silenciosamente y comenzó a pensar acerca de lo que Santiago le había dicho. Ella no había querido abofetearlo. Estaba arrepentida, y naturalmente, su muchacho tenía razón. Ella no era la misma de antes. ¡Qué diferente estaba! Solía ser alegre, pero ahora se sentía miserable, desdichada, infeliz. Y Santiago se había dado cuenta de ello, y ahora él quería que ella fuera como había sido antes, antes de haberse alejado de Dios, antes de que hubiera comenzado a ver películas a toda hora, y a beber y fumar. El tenía razón. ¡Claro que tenía razón! Ella debía recapacitar y comenzar otra vez. Era la única manera...

De pronto Santiago, que se hallaba despierto aún, oyó pasos en la escalera. "Es mamá —se dijo a sí mismo— que viene a pegarme otra vez, supongo, por haberle hablado de ese modo".

Pero no era su mamá, por lo menos no era la mamá de las últimas semanas y meses. Era nuevamente su verdadera y querida mamá, a quien él amaba tanto. Ella se arrodilló al lado de su cama y rompió a llorar. Santiago, levantándose, se arrodilló a su lado.

"Yo sé que no soy como era antes, Señor —murmuró entre sollozos—, pero desde hoy en adelante, con tu ayuda, volveré a ser como antes".

Y desde aquel momento todo fue diferente. La antigua felicidad renació. Fueron juntos a las reuniones y entregaron sus corazones al Señor otra vez. Y Santiago se regocijó de que Dios le había ayudado a decir, aquella noche, lo que debía decirle a su mamá.

Cuando la mamá se arrodilló junto a su cama y rompió a llorar, Santiago se arrodilló a su lado.

30

Levanta la Mano

LORENZO estaba pasando el verano con su primo Jacobo en la hacienda de su abuela, en el Estado de Colorado. ¡Cómo les gustaban esos días de cielo despejado y de sol brillante! ¡Y cómo se divertían en la granja!

Al pie de la colina en la cual estaba situada la casa, corría un canal de riego, uno de esos canales artificiales que llevan agua desde las Montañas Rocosas, con sus cimas cubiertas de nieve, a diferentes partes del Estado, donde la tierra es seca y la lluvia escasea. Aquí Lorenzo y Jacobo jugaban hora tras hora, a veces haciendo navegar sus botecitos y mirándolos hundirse en la rápida corriente de agua y luego salir, y otras veces, solamente sentados a la orilla del canal con los pies colgados en el agua fresca.

Desafortunadamente ninguno de los muchachos podía nadar bien, y la abuela había establecido una ley muy clara: que en ninguna circunstancia ellos podían nadar en el canal. Naturalmente, a los muchachos no les gustaba eso, pues pensaban que sería lindo darse un chapuzón, aunque no supieran nadar. En ocasiones trataban de discutir con la abuela acerca de eso.

—¿Por qué no podemos nadar un poquito cerca de la orilla? —preguntó Lorenzo, en forma de ruego, una vez.

—Porque el canal es profundo, y si te llegaras a resbalar, no podrías hacer pie.

—Pero yo puedo nadar lo suficiente como para volver a la orilla —replicó Lorenzo.

—Pero tú no entiendes —explicó la abuela—. Esa agua corre muy rápido, mucho más de lo que tú piensas, y te llevaría hasta el dique antes de que tú pudieras hacer nada.

—¡El dique! —exclamó Lorenzo—. Pero eso queda a medio kilómetro de distancia. Yo podría salir del canal fácilmente antes de llegar allí. De todas maneras, nosotros no iríamos al medio del canal. Todo lo que queremos es estar cerca de la orilla.

—¡No! —replicó la abuela firmemente—. Es demasiado peligroso. Si ustedes dos fueran buenos nadadores, sería diferente. Pero hasta que no puedan nadar bien, no deben ir al canal. Podrían verse metidos en la bomba.

—¿La bomba? ¿Qué bomba? —preguntó Lorenzo.

—Ese canal lleva mucha agua hacia una bomba poderosa, que levanta el agua a un nivel más elevado para regar los terrenos más altos. Si uno llega a ponerse al alcance de la bomba, no sale vivo.

149

Lorenzo se puso serio durante un minuto. No le gustaba nada la idea de ser atrapado por la bomba. Sintió que le corría un frío por la espalda.

Pero el miedo no le duró mucho.

El día estaba muy caluroso. El cielo, sin ninguna nube, dejaba libre al sol para que descargara su calor sin misericordia sobre los campos resecos.

Naturalmente, Lorenzo y Jacobo se dirigieron hacia el canal, ya que era el lugar más fresco que podían encontrar. Como estaba demasiado caluroso para hacer navegar sus botecitos, se acostaron en la orilla, boca arriba, con las piernas colgando en el agua.

De pronto Lorenzo se sentó y con una mirada decidida dijo:

—A mí no me importa lo que diga abuela —y se quitó la última prenda que llevaba puesta—. Me voy a meter en el agua.

—Mejor es que tengas cuidado —le advirtió Jacobo.

—Sí, tendré cuidado —aseguró Lorenzo—, pero voy a

estar fresco. Si abuela tuviera tanto calor como yo, ella también se metería.

Y diciendo esto se metió en el agua con una gran zambullida.

—¡Ven, Jacobo! —gritó—. ¡Está preciosa!

—No —se negó Jacobo—, no creo que deba ir. A la abuela no le gustaría.

—¡Bah! —dijo Lorenzo despectivamente—. Ella nunca se ha metido en el canal, así que no sabe. Es perfectamente seguro. ¡Vieras qué fresca está el agua!

Realmente parecía que era bastante seguro, y él estaba cerca de la orilla. Pero, envalentonándose, Lorenzo comenzó a internarse en el canal. Poco a poco se fue alejando de la orilla.

—¡No te alejes demasiado! —le gritó Jacobo.

—¡No tengas miedo! —dijo Lorenzo, chapoteando alegremente—. ¡Ven, Jacobo! ¿Por qué estar pasando calor sin necesidad?

—Pero abuela... —comenzó Jacobo.

—¡Abuela! —exclamó Lorenzo—. Si solamente abuela viniera y se... ¡Gluc!

Y entonces desapareció.

Un paso demasiado lejos lo había llevado a la parte más profunda del canal, y en un momento desapareció. Cuando finalmente volvió a la superficie ya se hallaba a muchos metros corriente abajo.

Jacobo, aterrorizado, comenzó a gritar a todo pulmón:

—¡Lorenzo está en el canal! ¡Se está ahogando! ¡Abuela, abuela!

Pero la abuela se hallaba demasiado lejos para oírlo.

Mientras tanto Lorenzo apenas podía mantener su cabeza sobre el agua, y trataba de luchar con todas sus fuerzas para acercarse a la orilla. Pero no lo lograba. Nunca había pensado que la corriente fuera tan fuerte.

Entonces recordó la advertencia de la abuela en cuanto a la represa, la esclusa, la bomba... y un nuevo terror se apoderó de él. Si no hubiera tenido el pelo mojado, de miedo se le

hubiera parado de punta.

El rugido del agua que se iba encajonando en la esclusa se sentía cada vez más cerca. Rápidamente la corriente lo estaba llevando hacia la esclusa. Y detrás de ella estaba la bomba. ¿Y qué le pasaría si era atrapado por la bomba?

—¡Socorro! ¡Socorro! —gritó desesperado.

Entonces, mirando hacia el cielo, más allá del sol, y levantando una mano del agua, gritó: "¡Jesús, Jesús, sálvame! ¡Jesús, sálvame!"

En ese momento, un vecino que trabajaba en el campo cerca de allí, oyó los gritos del muchacho, y levantando la vista de su trabajo, vio una mano que se levantaba hacia arriba, en el canal. Inmediatamente adivinó cuál era el problema. Dejándolo todo, se dirigió apresuradamente hacia la orilla.

Asomando y desapareciendo en el agua, vio una cabeza, la cabeza de un muchacho que estaba siendo llevado rápidamente hacia las esclusas, que ahora se hallaban a solamente 50 metros de distancia.

El vecino comenzó a correr a lo largo de la orilla, pero tuvo cuidado de resistir a la tentación de arrojarse al agua, porque sabía que la corriente rápida podría llevarlos a los dos a una muerte segura. Quedaba una sola alternativa: ¡el puente!

Y corriendo con todas sus fuerzas se dirigió hacia adelante.

—¡Levanta la mano! —gritó a todo pulmón—. ¡Te esperaré en el puente! ¡Levanta la mano cuando pases debajo del puente!

En cuanto llegó al puente, el vecino se tendió cerca del lugar donde se asomaba la cabeza de Lorenzo. Entonces se estiró todo lo que pudo; pero estaba demasiado lejos.

—¡Levanta la mano! —gritó otra vez.

Desesperado, y reuniendo todas sus fuerzas, Lorenzo levantó la mano.

El vecino la tomó y arrastró al muchacho a la orilla.

¡Qué cerca de la muerte había estado! Lorenzo jamás lo olvidó. Había aprendido una gran lección de obediencia ese día.

En el momento en que Lorenzo estaba por pasar debajo del puente, el vecino se estiró todo lo que pudo y asió la mano levantada del muchacho.

W. DOLWICK

31

Un Mundo
sin Lágrimas

YO SUPONGO que todos lloran alguna vez. Los niños lloran cuando se los castiga, y las niñas lloran cuando se sienten chasqueadas. Aun los padres y las madres lloran de vez en cuando, creo, cuando están muy, muy tristes.

Pero algún día va a haber un mundo donde nadie llorará jamás. Parece algo demasiado lindo para ser verdad, pero realmente es así. Va a haber un mundo sin lágrimas donde todos se sentirán completamente felices. Dulces sonrisas alumbrarán el rostro de todos en todo momento, y nada ensombrecerá ya los rostros con tristeza.

Jesús mismo nos habla acerca de ese glorioso lugar. "En la casa de mi Padre —dice— muchas moradas hay... Y si me fuere y os preparare lugar, vendré otra vez, y os tomaré a mí mismo, para que donde yo estoy, vosotros también estéis" (S. Juan 14: 2-3).

Cuando el Evangelio haya sido llevado "a toda nación, tribu, lengua y pueblo", él volverá, reunirá a sus hijos hoy esparcidos —a los hijos de todas las naciones y todas las razas— y los llevará con él al cielo.

En el cielo, los que han sido separados por la muerte, los hermanos y hermanas, los padres y las madres, los que hayan creído en Jesús, se reunirán otra vez para no separarse jamás.

154

En la hermosa tierra nueva, Jesús estará con nosotros. Allí no habrá más llanto ni dolor.

Y entonces, después de una larga y feliz estada en la ciudad santa, en el cielo, la tierra será enteramente renovada. "Vi un cielo nuevo y una tierra nueva —escribe el apóstol San Juan—... Vi la santa ciudad, la nueva Jerusalén, descender del cielo... [Y] enjugará Dios toda lágrima de los ojos de ellos; y ya no habrá muerte, ni habrá más llanto, ni clamor, ni dolor; porque las primeras cosas pasaron" (Apocalipsis 21: 1-4).

¿Y cómo serán las cosas en la tierra nueva, en ese mundo sin lágrimas? Ciertamente todo será pacífico. No habrá peleas allá. Ni aun los animales pelearán. "El lobo y el cordero serán apacentados juntos, y el león comerá paja como el buey... No afligirán, ni harán mal en todo mi santo monte, dijo Jehová" (Isaías 65: 25).

Y va a haber mucho para comer allí. Los niños y las niñas que nunca han tenido suficiente para comer, hallarán que Jesús tiene una gran abundancia de todo. "Ya no tendrán hambre ni sed ... porque el Cordero ... los guiará a fuentes de aguas de vida" (Apocalipsis 7: 16-17).

Jesús proveerá de lo mejor para todos sus hijos. Todos estarán contentos. Nadie llorará jamás.

¿Verdad que será un hogar muy hermoso? La descripción que la Biblia hace de ese hogar, ¿no te hace sentir deseos de vivir en él, en compañía con Jesús?

El Señor Jesús vendrá pronto a buscarnos a todos, para llevarnos allá, a condición de que confiemos en él y le permitamos que viva en nuestro corazón y nos ayude a prepararnos para recibirle. (Lee la historia "Cambiando corazones viejos por nuevos", en el tomo 1 de esta colección.)

El Misterio del Dólar de Plata

HACE muchos años, entre 1896 y 1897, un colportor que vendía Biblias estaba caminando por la calle Market, en San Francisco cuando, de pronto, un extranjero lo detuvo y le preguntó por qué no tomaba sus libros y Biblias e iba a cierto valle de California, más allá de Sacramento.

El colportor le explicó que nunca había oído hablar de ese lugar y que estaba dispuesto a ir tan pronto como terminara su trabajo en San Francisco. El extranjero se despidió de él y desapareció entre la muchedumbre.

"¡Qué extraño! —se dijo el colportor—. Me pregunto por qué ese hombre vino a hablarme. ¿Cómo sabía él cuál era mi ocupación? ¿Y por qué está interesado en aquel valle en particular? Debo probar de ir allá algún día".

Pasaron varias semanas antes de que el colportor tomara las Biblias y los otros libros que tenía y viajara hacia el valle. Fue un recorrido largo y cansador, porque en aquellos días no había automóviles. Parte del camino lo hizo en tren, parte a caballo, y parte a pie. Cuando llegó al valle, vio algunas casas del otro lado del río, pero no había puente. Mientras se preguntaba cómo podría atravesar el río, apareció un hombre en un bote que le preguntó si quería que lo cruzara.

—Sí —repuso el colportor—. ¿Cuánto me va a cobrar?   157

—Un dólar —fue la respuesta. Era un precio bastante alto, pero el colportor aceptó, ya que pensaba hacer varias ventas del otro lado del río.

Mientras cruzaban, los dos hombres se pusieron a hablar. El colportor sacó su moneda de plata. La observó más cuidadosamente que de costumbre porque era una moneda nuevecita, brillante, pero halló que tenía una gran raya sobre la figura del águila.

Al llegar del otro lado del río, el colportor le dio la moneda de plata y se despidió del botero.

—No se olvide de ir a aquella casa que está arriba en la colina —le recomendó el botero, señalándole una humilde casita a unos dos kilómetros de distancia.

Un poco más tarde, cuando el colportor se acercaba a la casa, la puerta del frente se abrió y tres niños salieron corriendo para recibirlo.

—¿Ha traído nuestra Biblia? —gritaron—. ¿Ha traído nuestra Biblia?

—¡La Biblia de ustedes! —exclamó éste—. ¿Qué quieren decir? ¿Cómo saben que tengo Biblias?

—Bueno —explicaron—, hemos estado orando por una Biblia, pero mamá no tenía dinero para comprarla. Pero Dios le mandó dinero, así que estábamos seguros que alguien vendría con una Biblia.

Para entonces ya estaban en la casa, y la madre salió a recibirlo, junto a la puerta, muy entusiasmada, ansiando contarle su historia al extraño.

—Es verdad —dijo ella finalmente—. Hemos anhelado tener una Biblia desde hace mucho tiempo. Hemos estado orando durante varios meses, pero no podíamos obtener el dinero para comprarla. Entonces, hace un rato, después de haber orado otra vez, pareció que una voz me habló y me dijo: "Anda y mira afuera". Así que fui y allí, en el suelo, en el patio de adelante, encontré una moneda de un dólar de plata. Estoy segura de que Dios ha contestado nuestra oración.

Y a continuación, preguntó:

—Señor, ¿tiene usted alguna Biblia que cueste un dólar?

Mientras el vendedor de libros se preguntaba cómo podría cruzar el río apareció un hombre en un bote.

V. NYE

—Sí, tengo justamente ésta por un dólar.

Abriendo su portafolio, tomó la Biblia y se la alcanzó a la señora, quien, a cambio, le pasó la moneda que acababa de encontrar esa misma tarde.

Ahora le tocaba al colportor asombrarse, al ver la moneda. ¡Era una moneda de plata, nuevecita, brillante, y tenía una gran rayadura justamente sobre el águila! ¡Y la fecha era 1896!

—¿Hay algo mal? —preguntó la señora ansiosamente.

—No..., no... —dijo el colportor—. Pero, señora ¡ésta es una moneda idéntica a la que le di al botero que me ayudó a cruzar el río esta tarde!

—Es extraño. No sé quién podrá haber sido —comentó asombrada la mujer.

—Alguien debe haber querido que usted tuviera ese dólar —dijo el colportor.

El misterio de la moneda de plata tal vez jamás se resuelva. Pero ambos, el colportor y aquella buena señora, estaban convencidos, como lo estoy yo, de que Dios tuvo que ver con el asunto. Dios conocía el anhelo de aquella familia de leer su Palabra, y de una manera maravillosa contestó su oración e hizo posible que ellos recibieran una Biblia.

33

La Ultima
Hoja del Arbol

—AHORA, Francisco, vamos al comedor y juguemos a alguna cosa —le dijo Liliana a su pequeño invitado.

Era el cumpleaños de Liliana y ella había invitado a Paco, el nuevo vecino que acababa de mudarse a su barrio, para almorzar juntos.

—Juguemos en la cocina —le sugirió Paco—. No vayamos al comedor.

—¿Pero por qué?

—Porque... —dijo Paco.

—¿Porque qué? —volvió a preguntar Liliana.

—Porque tu abuela...

—¿Mi abuela qué? En realidad es la abuela de mi mamá.

—¡Ah! —dijo Paco—, pero, ¿no va a rezongar si hacemos ruido?

—¡Oh, no! —exclamó Liliana—. Tú no conoces a abuela; a ella le encanta tenernos cerca cuando jugamos. Ven y verás.

Así que fueron al comedor.

—Abuelita, te presento a mi amigo Paco.

La abuela lo saludó amigablemente con una sonrisa que desvaneció inmediatamente los temores del niño.

161

— Tú no te molestarías si nosotros jugamos aquí, ¿verdad, abuela? —dijo Liliana.

—¿Molestarme? —repitió la abuela—. Me molestaría si no vinieran. A mí me encanta verlos jugar. Me hace sentir joven otra vez.

Pronto, con la ayuda de la madre, los niños se estaban divirtiendo de lo lindo. Jugaron a la gallina ciega y a otros juegos. La abuela se acomodó lo mejor que pudo en su sillón, y no se preocupó en absoluto del ruido que hacían, ni siquiera cuando Liliana, con una venda en los ojos, trataba de alcanzar a Paco, que daba vueltas alrededor de la silla de la abuela.

Finalmente los niños se cansaron de su juego, y fueron a sentarse junto al hogar, al lado de la abuela.

—Cuéntanos una historia, abuela —rogó Liliana.

—¿Una historia? —preguntó la abuela—. ¿De qué debiera tratar esta vez?

—De cuando tú eras una niñita —sugirió Liliana, que nunca parecía cansarse de escuchar a la abuela hablando de este tema.

—¡Oh, de eso hace ya mucho tiempo! —empezó la abuela—. Sin embargo todavía recuerdo algunas de las cosas que hacía entonces. Justamente esta tarde, antes que ustedes llegaran estuve recordando algo que podría interesarles.

—Bueno, dínosla —pidió Liliana ansiosamente.

—Temo que no sea realmente una historia —replicó la abuela—, y que sea un poco triste.

—Entonces, mejor —contestó Liliana, acomodándose más—. A mí me gustan más las historias tristes.

—Pues les voy a contar algo —dijo la abuela—. Cuando estaba sentada aquí esta tarde, empecé a pensar en todos los niños que yo conocía cuando era una niñita, y de mis propios hermanos y hermanas.

—¿Tú tenías hermanos y hermanas? —preguntó Liliana—. Yo no sabía eso.

—Claro que sí —dijo la abuela—. Y nos queríamos mucho. Teníamos una mamá muy buena y nuestra familia era muy feliz. Ibamos a la escuela juntos, y también nos gustaba mucho jugar, como ustedes están jugando ahora. Y aunque éramos pobres, disfrutábamos mucho de la vida.

La abuela se detuvo y dio un corto suspiro mientras sus pensamientos volaban hacia aquellos días que se habían ido para siempre. Entonces prosiguió:

—Aquellos años pasaron muy rápidamente pero, a medida que iban pasando, veía a todos los niños que estaban conmigo en la escuela crecer, convertirse en jóvenes y señoritas, y luego en adultos. Fui a muchos de sus casamientos; y más tarde, me encantaba jugar con sus hijos. Siguieron pasando los años, y algunos de ellos, gradualmente, como caen las hojas de los árboles en el otoño, se fueron yendo uno a uno. Esta tarde estaba pensando en nuestro pequeño grupo de niños en la vieja escuelita. Yo soy la única que quedo. Por eso vino a mi mente lo que dijo el poeta:

Si yo llegara a vivir,
porque así Dios lo quisiera,
hasta ser la última hoja
que al llegar la primavera,
aún permanece en la rama
de un árbol ya deshojado,
ustedes se sonreirían
como ahora yo lo hago,
al mirar la extraña hoja
a la rama sujetada,
allí en el árbol añoso,
tan sola y abandonada.

Otra vez la abuela se detuvo. Los niños estaban silenciosos, y había lágrimas en los ojos de Liliana.

—Abuelita, no debes sentirte tan sola —dijo amorosamente.

—¡Oh, no! —replicó la abuela valientemente—. No lo estoy, en ninguna manera. Por eso me alegro de que ustedes vengan a jugar cerca de mí.

En ese momento vinieron a buscar a Paco para que fuera a dormir. Mientras éste se ponía de pie, le susurró a Liliana:

—Me alegro de que no nos hayamos quedado en la cocina para jugar.

—Yo también —dijo Liliana—. ¿No es amorosa abuelita? Hubiera sido muy triste hacerle sentir que no la queríamos, ¿verdad?

—Sí —dijo Paco—. Si te parece bien, voy a venir a visitarla otra vez.

Y tal vez hay otros ancianos, aquí y allá, que están pensando que son "la última hoja del árbol" y secretamente anhelan un poco de simpatía y amor que tú puedes darles.

El Nuevo Collar
de Batuque

BATUQUE era un perro común, un terrier de pelo duro; pero era la alegría de Jaime.

Desde que el papá trajo el cachorro —el día del cumpleaños de Jaime—, los dos se habían hecho muy buenos amigos.

Naturalmente, si Jaime hubiera tenido un hermano o una hermana, tal vez Batuque no hubiera representado tanto para él, pero como no tenía a nadie más, sino que era hijo único, Batuque era lo que él más quería en el mundo.

Pasaba momentos muy entretenidos con él enseñándole a hacer diferentes pruebas, y a portarse tan bien, como un perro de raza. Además, le había enseñado a ser amigable hasta con el gato a tal punto que le permitía entrar en su casita.

Pero, un día muy triste, Batuque desapareció.

Se había como evaporado. Nadie sabía dónde estaba.

Cuando Jaime vino de la escuela y oyó la noticia, un gran desconsuelo se apoderó de su corazón.

¡Batuque se había ido! Seguramente, había sido arrollado por un auto, como muchos otros pobres perros, en estos días de automóviles que pasan a toda velocidad.

Pero nadie en los alrededores había visto u oído del accidente.

166 Tal vez alguien lo haya robado, ¿pero cómo? ¿Y cuándo?

¿Y por qué alguien hubiera querido robar a un terrier tan común como Batuque?

El pobre Jaime estaba muy triste. Corrió hacia un lado de la calle, luego hacia el otro, llamando a la puerta de los vecinos, preguntando si habían visto a su perro, pero todas las respuestas eran iguales. Todos mostraban estar muy tristes, pero nadie lo había visto.

Era un muchachito de cara larga el que vino a la casa esa noche. Jaime había recorrido cuadras y cuadras, preguntando y buscando por todas partes, pero sin resultado alguno.

—No te preocupes tanto —trató de consolarlo la mamá cuando él se fue a acostar. Tal vez venga a casa por la mañana.

Jaime anheló que fuera así; pero a la mañana siguiente cuando se dirigió a la casita del perro, él no estaba allí.

—¿Dónde puede estar? —se preguntaba Jaime—. ¡Se va a morir de hambre si no le doy de comer! Miren, aquí está toda la comida sin que nadie la haya tocado.

Durante todo el largo día Jaime estuvo preocupado, y cuando llegó la noche, no había ni señales de Batuque. Jaime estaba a punto de llorar.

—¿No podemos hacer nada más, mamá? —prorrumpió entre sollozos.

—Me temo que no —dijo la mamá—, excepto que pidamos a Jesús que nos ayude a encontrarlo.

Jaime nunca había orado tan fervorosamente como aquella noche. Al día siguiente, hizo una cosa muy extraña.

Por su cuenta, y sin decirle nada a nadie, abrió la cajita en que guardaba su dinero. Allí estaban todos sus ahorros, que sumaban unos tres dólares, y se fue al pueblo para hacer un misterioso mandado.

Al regresar entró por la puerta de atrás, pero tropezó con la mamá.

—¿Dónde has estado? —exclamó ella—. ¿Y qué tienes allí? ¡Oh, qué hermoso collar y qué cadena más bonita! ¿Qué ?...

Jaime se puso rojo y casi se echó a llorar, pero se contuvo, y con los ojos nublados, mirando a su mamá le dijo:

—Los compré para Batuque.

—¡Para Batuque! —exclamó la mamá—. Si Batuque se ha ido y quizá...

—Pero —contestó Jaime enfáticamente— le hemos pedido a Jesús que lo enviara de vuelta, ¿no es cierto?

—Sí, yo sé que le hemos pedido, pero supongo que...

—Mamá —dijo Jaime—, yo creo que Jesús va a contestar mi oración de alguna manera y lo va a enviar de regreso. He gastado todo mi dinero, todo lo que tenía, para comprar el collar y la cadena para que Jesús vea que yo realmente creo que él enviará de vuelta a Batuque.

La mamá abrazó a Jaime, mientras se le escapaban gruesas lágrimas.

—Sí, yo estoy segura de que Jesús lo traerá de regreso.

—Yo sé que sí —agregó Jaime, con la fe de un niño.

Pasó una semana. Pasaron dos. Tres semanas. Cuatro semanas. Cinco semanas enteras, y todavía ¡ni señales de Batuque!

La mamá había perdido toda esperanza. El papá hablaba de comprar un nuevo perro para Jaime, y hasta éste estaba perdiendo poco a poco la esperanza de encontrar a su querido Batuque.

Entonces, una mañana muy temprano, Jaime se despertó con un ruido que le era familiar. ¡Era el ladrido de un perro, justamente debajo de su ventana!

Saltó de la cama, y corrió escaleras abajo.

¡Sí! Batuque estaba en casa otra vez. ¡Qué alegría!

Y hubieras visto a Batuque con aquel nuevo collar, y a Jaime, paseándolo con esa cadena brillante por la calle. Ni un rey en su palacio se sentiría tan feliz como lo estaban ellos.

35

El Envoltorio de los Regalos

INES pensaba que nunca podría terminar de envolver los regalos para Navidad. Había uno para el papá, otro para la mamá; uno para la hermana mayor, y otro para la hermana menor; uno para el hermano mayor, y otro para el hermano menor; uno para el tío Juan, y otro para la tía Elena; y varios más para sus amigos de la escuela.

Había comprado algunos papeles bonitos y algunos moños, pero ahora se estaba impacientando. Le estaba llevando más tiempo de lo que había esperado.

—¡Qué cosa! —dijo disgustada—. ¿Y para qué tenemos que envolver los regalos?

—Porque lucen más bonitos cuando están envueltos —le contestó la mamá.

—Podríamos entregar los presentes sin ningún envoltorio —comentó Inés.

—Podríamos —dijo la madre—, pero no sería lo mismo. Ponte a pensar en la apariencia que tendría la sala en la mañana de Navidad si ninguno de los presentes estuvieran envueltos. Parecería más bien el mostrador de una tienda en una liquidación.

—Pero, mamá, ¿no podríamos ahorrar bastante tiempo y dinero? Después que los regalos se abren, de todas maneras

todos tiran el papel.

—Es verdad. Pero el envoltorio es parte del regalo. Dice algo de los pensamientos amables que van junto con él.

—Puede ser —concedió Inés—. Pero yo no veo el motivo. Me va a llevar toda la tarde envolver estos regalos, y de todas maneras en diez minutos, en la mañana de Navidad, todos harán pedazos este lindo papel.

—Pero el recuerdo permanecerá —dijo la mamá—; y después de todo, son los recuerdos lo que importa, ¿no es así?

—¡Recuerdos! Bueno, tal vez tengas razón. Nunca había pensado en eso.

—La gente no sólo recuerda lo que has dado, sino cómo lo has dado —comentó la madre—. Si le entregas groseramente un presente a alguien, o se lo echas en la falda, no significaría lo mismo que si se lo acercaras graciosamente y se lo entregaras con palabras amables y una hermosa presentación.

—Bien —dijo Inés mientras pensaba otra vez. Ahora comenzaba a percibir la diferencia.

—Después de todo —continuó la mamá—, ¿tú sabes —o tal vez lo hayas olvidado— que el regalo más precioso dado al mundo vino "envuelto"?

—¿Qué regalo?

—Jesús, naturalmente —dijo la madre—. Recordarás aquellas palabras famosas: "Porque de tal manera amó Dios al mundo" (S. Juan 3: 16).

—Sí.

—Bueno, la Biblia dice que cuando el ángel les informó a los pastores acerca de la llegada del niño Jesús, les dijo que lo encontrarían "envuelto en pañales, acostado en un pesebre" (S. Lucas 2: 12).

—¿Y quién lo envolvió?

—María, por supuesto —dio por sentado la madre—. Y estoy segura de que ella usó la mejor tela que tenía. Y cuando los pastores llegaron al establo y lo vieron, pensaron que era el bebé más precioso que habían visto. Efectivamente, estaban tan contentos que recorrieron cantando el camino de regreso.

—Pero, ¿por qué era él el mejor regalo que alguien haya dado? —preguntó Inés.

—Porque, de una manera tan maravillosa que no podemos entenderla —explicó la madre—, Dios mismo fue "envuelto" en ese bebé. Todo su amor, toda su sabiduría y poder, toda su ternura y su compasión estaban en él.

"En esos pañales estaba envuelto el enormemente poderoso Imán que es capaz de atraer a todos los hombres hacia él, y hacia todo lo bueno y santo. En esos pañales estaba envuelta la Luz que brilla con tal intensidad que puede alumbrar y guiar a todos los hombres —a todos los que le sigan— sacándolos de la oscuridad hacia el día eterno.

"El es la Fuente de poder, capaz de satisfacer todas las necesidades humanas, y con poder para tornar lo débil en fuerte, valiente y bueno.

Demasiado maravilloso para que lo entendamos ▶
completamente; Dios se "envolvió" en aquel Niño
de Belén.

M. FEUERSTEIN

"¡Y qué hermoso paquete era! Y a pesar de que han pasado casi 2.000 años desde que fue dado al mundo como un presente, la gente no lo ha olvidado, y nunca lo olvidará. La Biblia dice: 'Un niño nos es nacido, hijo nos es dado'. De modo que él nos pertenece".

36

El Muchacho
que Salvó
a los Peregrinos

¡QUE nombre cómico tenía! No se llamaba
Jorge, ni Enrique, ni Tomás, sino Squanto. ¡Imagínense po-
nerle ese nombre a un muchacho! Pero, un momento, ustedes
deben saber que era un muchacho indio.

Cuando muchacho, Squanto creció en una hermosa región
de muchos árboles y arroyos, que más tarde llegó a llamarse
Nueva Inglaterra. Todos sus amigos eran indios. De vez en
cuando había visto alguna gente blanca, pero a él no le gustaban mucho los blancos. En efecto, les tenía miedo. Eran
crueles. Venían en grandes barcos de vela, y tan pronto como
llegaban a la playa, disparaban con sus fusiles, y saqueaban y
secuestraban gente para llevarlas lejos como esclavas.

Siempre que Squanto veía anclar en la costa un barco de
gente blanca, se escondía en el bosque. Pero un día, también
él fue secuestrado y, con varios otros indios, fue llevado lejos,
a un lugar que la gente blanca llamaba Inglaterra. Esto sucedió en el año 1605, y durante nueve años Squanto no vio ni a
sus familiares ni a nadie de su pueblo.

Estos fueron años muy tristes para Squanto. ¡Cómo echaba
de menos su hogar! Todo el tiempo pensaba en la manera en
que podía regresar a su país. En 1615 se enteró de que un
barco viajaría a América e hizo arreglos con el capitán para

177

que lo dejara en el lugar más cercano a su casa.

¡Qué contento estaba de volver a su patria, y de poder ver nuevamente a sus parientes y amigos, y el lugar que tanto amaba! Pero su felicidad no duró mucho tiempo; solamente unos pocos meses, porque fue secuestrado otra vez, y después de un viaje largo a Europa, fue vendido como esclavo en Málaga, España.

Determinado a volver a su país natal, escapó y se metió en un barco que iba a Inglaterra. Finalmente, después de muchas aventuras, llegó otra vez al continente americano.

Pero sólo un poco de tiempo después, en 1618, fue secuestrado otra vez y llevado a Inglaterra. Tanto echaba de menos su hogar que otra vez se escapó y, en el verano siguiente, pudo llegar de nuevo a Nueva Inglaterra. Esta vez, sin embargo, su llegada no fue feliz. Nadie estaba allí para recibirlo. Todos habían muerto. Todos sus parientes y amigos, toda su tribu, habían desaparecido por una pestilencia. El era el único sobreviviente.

Si alguien tenía razón para odiar a la gente blanca, seguramente era Squanto. Sin embargo, fue él quien les mostró el más grande amor en el momento en que más lo necesitaban.

Un día —era el 26 de diciembre de 1620—, otro barco ancló en la bahía cercana al lugar donde vivía Squanto. Los indios miraban con ansiedad, escondidos entre los árboles. Tal vez Squanto observaba también. ¡Otra vez venían hombres blancos! Pero esta vez traían mujeres y niños consigo. ¡Hasta un bebé! ¿Podría ser que vinieran a quedarse? Parecía que sí.

Squanto, que podía hablar bien el inglés por las veces que había estado en Inglaterra, pronto descubrió que el barco se llamaba Mayflower, y que la gente que había desembarcado en la costa norteamericana estaba escapando de otra gente blanca que había sido mala con ellos. Habían tenido que venir al continente americano, donde podrían adorar a Dios libremente, sin el temor de ser perseguidos y enviados a la prisión.

Squanto observaba cómo construían sus casas para protegerse del invierno; se dio cuenta del hambre y del frío que estaban pasando, y vio que muchos enfermaban y morían.

El sabía cuántos habían llegado en el barco —101 adultos, más un bebé—; y también se daba cuenta de que el número disminuía gradualmente: 6 murieron antes de fines de diciembre, 8 en enero, 17 en febrero y 13 en marzo. Antes de la primavera, 44 de los 101 yacían en sus tumbas, apenas tres meses después de haber llegado en el Mayflower.

Squanto vio las pequeñas procesiones que iban al cementerio, y la tristeza y las lágrimas de los peregrinos. Después de todo lo que él había sufrido con los blancos, él podía haberlos odiado y haberles hecho mucho daño en esos momentos. Pero en lugar de eso, como un historiador ha escrito, "él los ayudó con su amistad, casi más allá de lo comprensible".

Había peligro de que otros indios pudieran atacar a los peregrinos y masacrarlos, pero Squanto colaboró en el arreglo de un tratado con el gran jefe Massasoit. Como conocía ambos idiomas, el inglés y el de los indios, sirvió de intérprete cuando los peregrinos lo necesitaron.

En su diario, el gobernador Bradford dijo que Squanto les había enseñado a cultivar el maíz, y les había mostrado dónde había pescado y dónde podían encontrar algunas de las

Los peregrinos invitaron a sus amigos indios a participar de la primera celebración del Día de Acción de Gracias por la primera cosecha.

cosas que necesitaban para sobrevivir.

Fue Squanto quien ayudó a los peregrinos a sembrar las primeras semillas, en aquella primera primavera que pasaron en el Nuevo Mundo. Y estuvo allí también en el otoño cuando, después de recoger la primera cosecha de otoño, el gobernador Bradford ordenó tres días de fiesta, en "acción de gracias".

Si no hubiera sido por Squanto, nadie sabe qué hubiera sucedido con los peregrinos. Tal vez hubieran muerto de hambre o habrían sido exterminados por los indios hostiles. De hecho, todo el curso de la historia norteamericana podía haber sido diferente si no hubiera sido por este indio de corazón bondadoso que devolvió bien por mal.

Los peregrinos le debían a Squanto el haber aprendido a cultivar el maíz y a prepararlo en diferentes comidas.

La Locomotora Auxiliar

HACE muchos años yo estaba viajando en uno de los hermosos trenes expresos que iban de San Francisco a Los Angeles, en California. En cierto trecho el paisaje era chato y monótono, así que me acomodé en mi asiento y, gradualmente, me estaba durmiendo. De pronto oí una voz por el altoparlante.

"Nos estamos acercando a las montañas —dijo la voz—. El tren pronto estará ascendiendo a un promedio de 10 metros por kilómetro. Como la locomotora no tiene suficiente fuerza para arrastrar al tren por una pendiente tan empinada, debemos detenernos por algunos minutos para enganchar la locomotora auxiliar".

En ese momento, naturalmente, yo estaba despierto. ¡Una locomotora auxiliar! Eso sonaba tan interesante que yo quería verlo.

Muy pronto el tren comenzó a aminorar la marcha hasta detenerse. Entonces se produjo un suave sacudón, mientras

182

la locomotora auxiliar era enganchada a la locomotora principal, para subir la montaña.

¡Qué fácilmente ahora comenzó a subir el tren, sin dificultad ni problema alguno! En efecto, si yo no hubiera estado viendo las montañas desde la ventanilla del tren, no hubiera sabido siquiera que estábamos ascendiendo continuamente.

Y mientras las vías hacían una curva aquí y allá, siempre subiendo, a veces haciendo un círculo completo, pude, en cierto momento, dar un vistazo a la locomotora auxiliar. Allí estaba, acoplada a la locomotora principal, echando vapor al unísono con ella. En efecto, cuando la locomotora principal echaba humo, lo mismo hacía la locomotora auxiliar, y así siguieron escalando juntas.

Pronto pasamos las montañas, y la locomotora auxiliar fue desenganchada y llevada a su lugar de origen, para ayudar a otro tren a subir la montaña.

Entonces me puse a pensar en todas las pequeñas locomotoras, en los hogares de la gente, que podrían ser de mucha ayuda, si quisiéramos.

"¿Locomotoras? —dirás—. Nosotros no tenemos ninguna locomotora en casa".

Sí que las tienen: grandes y pequeñas. Una de las grandes, naturalmente, es papá, ¡y qué carga tiene que arrastrar mientras trabaja para ganar el sustento y mantener el hogar unido! ¡Qué difícil es a veces arrastrar el largo tren de todas las necesidades —y los deseos— de la familia, ascendiendo las montañas de la vida!

Otra locomotora se llama mamá; y ¡cuánto tiene que trabajar ella para manterner la casa ordenada y limpia, y lavar la ropa, y preparar todas las comidas, y cuidar a los que se enferman ! ¡Qué cuesta empinada es a veces la suya!

También hay locomotoras pequeñas que pueden hacer las veces de locomotoras auxiliares. Pueden tener diferentes nombres: Guillermo, Ricardo, Juanita, Elisa, Josefina, y tantos otros.

Estoy pensando en varias maneras en que estas pequeñas locomotoras auxiliares pudieran darles una buena ayuda a las locomotoras principales. No hay duda de que ustedes pueden pensar en otras maneras, además.

Podrían traer leña para el fuego.

Podrían lavar la loza y a veces el piso de la cocina.

Podrían hacer las camas, por lo menos la propia.

Podrían limpiar la bañera y los lavamanos.

Podrían cortar el césped y regar las flores.

Podrían lustrar los zapatos.

Y hasta podrían hacer cosas tal vez más difíciles, como lavar y planchar.

Hay cientos de maneras en que las pequeñas locomotoras auxiliares podrían ayudar a las locomotoras mayores a ascender las montañas de la vida.

Me pregunto si tú eres una locomotora auxiliar. ¿Qué dice tu madre acerca de eso?

Contra
Toda Esperanza

CUANDO yo era muchacho, una de las cosas que más deseaba era explorar el Polo Norte o el Polo Sur. Por qué, no lo recuerdo. Probablemente había leído algo acerca de los muchos hombres valientes que habían hecho tales expediciones. Tal vez también, porque me atraía el misterio de lo desconocido.

Naturalmente, era solamente un sueño de muchacho, que después de un tiempo desapareció. Pero otros todavía sienten el llamado de las regiones polares y no pueden vivir en paz hasta no haber visto aquellas enormes extensiones blancas cubiertas de nieve y hielo.

En 1947, el almirante Byrd, que había explorado el Polo Norte, se dirigió hacia el sur, tomando con él 4.000 hombres y buena parte de la marina de los Estados Unidos, incluyendo un submarino. Llevó varios aviones y un helicóptero, además

de aplanadoras y trineos a motor. Esta era una exploración de tiempos modernos, sin la mayoría de las incomodidades y preocupaciones experimentadas por aquellos que, tiempo antes, habían hecho exploraciones en el Artico.

Una de las más emocionantes expediciones polares que se hayan llevado a cabo alguna vez fue la de Shackleton y sus hombres en un barco llamado Endurance (Resistencia). Comenzaron en Georgia del Sur, isla argentina en el océano Atlántico Sur, el 5 de diciembre de 1914, justo después de haber comenzado la Primera Guerra Mundial.

Casi desde el principio todo fue mal. El tiempo cambió, y el mar se llenó de grandes bloques de hielo que chocaban entre sí e iban a dar contra los lados del barco.

Seis semanas más tarde el hielo se cerró, dejando inmóvil la rápida embarcación. Ni los marineros, ni el motor, ni ambos juntos, pudieron mover el navío un solo metro, ni hacia adelante ni hacia atrás.

Aprisionado en el hielo, el Endurance quedó a la deriva entre la masa de hielo flotante durante varios meses, desde el 18 de enero hasta el 27 de octubre. El hielo iba oprimiendo a la embarcación y apilándose a su alrededor. Finalmente la excesiva presión aplastó la sólida embarcación como si fuera una caja de fósforos. Afortunadamente Shackleton y todos sus

188   hombres salieron a tiempo del barco, llevando consigo alimentos, carpas, trineos y botes.

Ahora se encontraban ellos mismos a la deriva, entre el hielo flotante, en medio del océano Antártico, a unos 500 kilómetros de la costa más cercana. Vivieron en medio de la masa flotante de hielo durante cinco meses y medio, oyendo el crujido del hielo debajo de ellos y el ulular de los ventisqueros a su alrededor. No me explico cómo soportaron tantas penurias, con temperaturas muy por debajo de cero. Pero ellos tenían fe en su jefe, y esperaban contra toda esperanza que, finalmente él los llevaría a un lugar seguro.

Una noche, en medio de una oscuridad absoluta, el hielo comenzó a partirse precisamente debajo de la carpa en la cual Shackleton estaba durmiendo. Este saltó a tiempo para salvarse de caer en el agua helada. A la mañana pudo ver que el pedazo de hielo en el cual había estado reposando se hallaba ya a varios metros de distancia. Otra vez, cuando el hielo se quebró debajo del campamento, uno de los hombres se cayó, envuelto en su bolsa de dormir. Afortunadamente fue rescatado a tiempo y se lo salvó de las mandíbulas de un gran pez.

Finalmente, el 2 de abril de 1916, pudieron lanzar al agua tres botes, para llegar, seis días más tarde, a un promontorio desolado, inhabitado y cubierto de hielo, llamado isla Ele-

fante. Aquí Shackleton dejó a 22 de sus hombres —algunos de ellos demasiado débiles y enfermos para seguir adelante— y prosiguió con cinco de sus compañeros para obtener ayuda.

Tomaron el barco más grande —y éste era solamente un bote ballenero de unos seis metros—, y se dirigieron hasta la isla Georgia del Sur, que quedaba a unos 1.200 kilómetros de distancia, a través del mar más tempestuoso del mundo. Olas como montañas amenazaban todo el tiempo con hundirlos. Sin embargo, a pesar de mojarse continuamente con el agua helada que constantemente entraba por los costados de la embarcación, sin encontrar ninguna manera de darse un poco de calor, con muy poco de comer y beber, se mantuvieron en su camino, esperando contra toda esperanza que finalmente llegarían a su destino.

Después de diecisiete días y noches borrascosos, llegaron a la isla Georgia del Sur, para encontrarse en el lado equivocado de la isla, frente a glaciares y acantilados congelados. Débiles y maltrechos, anclaron en la orilla, y tres de ellos emprendieron el camino a pie, sobre las montañas cubiertas de nieve, hacia la estación del otro lado de la isla. Ese fue otro milagro de resistencia.

Luego comenzaron el trabajo de rescate. Primero se dirigieron a donde estaban los tres hombres a quienes habían dejado en la parte sur de la isla. Luego Shackleton pidió prestado un barco y se dirigió a toda velocidad a la isla Elefante para salvar a los 22 hombres que habían quedado allí. Pero el tiempo malo y el hielo sólido lo obligaron a volverse, después de haber navegado más de 50 kilómetros. Era una

experiencia sumamente descorazonadora, pero él pidió una embarcación más resistente y probó otra vez, sólo para verse obligado a regresar nuevamente después de haber navegado más de 30 kilómetros.

Entonces pidió prestada otra embarcación y probó por tercera vez, pero falló a causa del mal tiempo, después de haber navegado casi 200 kilómetros.

Con todo, todavía no se dio por vencido. Amaba a sus hombres y sabía que ellos contaban con él para su rescate. Así que pidió prestada una cuarta embarcación, y esta vez, hallando una gran masa de hielo abierta, se dirigió rápidamente entre ambos paredones y pudo llegar a destino. Durante todo este tiempo, desde el 24 de abril hasta el 30 de agosto —cerca de cuatro meses y medio— los 22 hombres de la isla Elefante de algún modo se las arreglaron para sobrevivir en un banco de arena que encontraron al pie de un acantilado cubierto de hielo. Se hicieron una especie de choza con piedras que unieron con nieve, como techo usaron los dos botes dados vuelta. La modesta choza medía aproximadamente seis metros por tres. No tenía ventanas a no ser una pequeña abertura. Allí cocinaban, dormían, pasaban el día entero. Afuera, los helados vendavales soplaban con furia, mientras las olas enormes tronaban e inundaban la playa.

¡Eran verdaderos héroes! No tenían camas cómodas, sino piedras debajo de ellos; ni tenían otra comida que la carne de las focas y de los pingüinos que cazaban; ni agua, sino el hielo que derretían —mientras tuvieron combustible para hacerlo—; no tenían otro aire para respirar que el hediondo de esa atestada choza. Sin embargo, resistieron. Si tú alguna vez te sientes tentado a murmurar acerca de tu casa, tu cama, tu comida, recuerda a estos hombres.

¿Y por qué resistieron? Porque creyeron en su jefe y esperaron, contra toda esperanza, que volvería. A pesar de que él había emprendido un viaje muy arriesgado, estaban seguros de que él volvería para rescatarlos.

Al frente de los náufragos se hallaba un hombre llamado Frank Wild, un hombre lleno de fe y extraordinariamente valiente. Gracias, especialmente, a su constante optimismo, todo el grupo se mantuvo de buen ánimo.

"Desde el mismo momento en que yo salí —escribió Shackleton en la historia de la expedición —Wild arrollaba su bolsa de dormir todos los días, diciendo: 'Prepárense, muchachos, el jefe puede venir hoy'. Y así sucedió, en efecto, porque un día la niebla se abrió y dejó ver el barco que habían esperado y anhelado ver durante cuatro meses".

Su esperanza los salvó. Si la hubieran perdido y se hubieran desanimado, no hubieran podido mantenerse vivos. Hubieran peleado, y se hubieran enfermado y muerto. Pero estos valientes exploradores mantuvieron su esperanza y la liberación llegó finalmente.

Así debe ser con nosotros. Nunca debemos descorazonarnos, ni abandonar la esperanza. No importa lo que suceda en nuestra vida, si tratamos de agradar a nuestro Dios y hacer todo correctamente, finalmente todo nos irá bien.

Las peripecias de Shackleton para salvar a sus hombres

me recuerdan la de otro gran Capitán que ha partido en un gran plan de rescate. "Voy, pues, a preparar lugar para vosotros —dijo ese Capitán, cuyo nombre es Jesús—. Y si me fuere ... vendré otra vez, y os tomaré a mí mismo, para que donde yo estoy, vosotros también estéis" (S. Juan 14: 2-3).

Y mientras él está ausente, no debemos permanecer en nuestra "desolada isla" sino que debemos mantenernos animosos, y mirando siempre hacia su regreso. Entonces, algún día, él volverá y llevará a su hogar celestial a todos los que le hayan esperado, a todos los niños y niñas que le aman de corazón.

Tal vez nos preguntemos por qué tarda tanto su venida. Tal vez sintamos temor de que nos haya olvidado. Pero él no nos olvidará. Nos ama demasiado para hacerlo.

Jesús cumplirá su promesa, y nosotros podemos mantener a todo trance nuestra esperanza en él. Sí, él volverá por nosotros; y su venida puede estar más cercana de lo que pensamos. Como el señor Wild en la lejana isla Elefante, digamos cada nueva mañana: "Prepárense, muchachos, el Maestro puede venir hoy".